JN001635

深海の生き物超大全

イラスト／文　石井英雄

彩図社

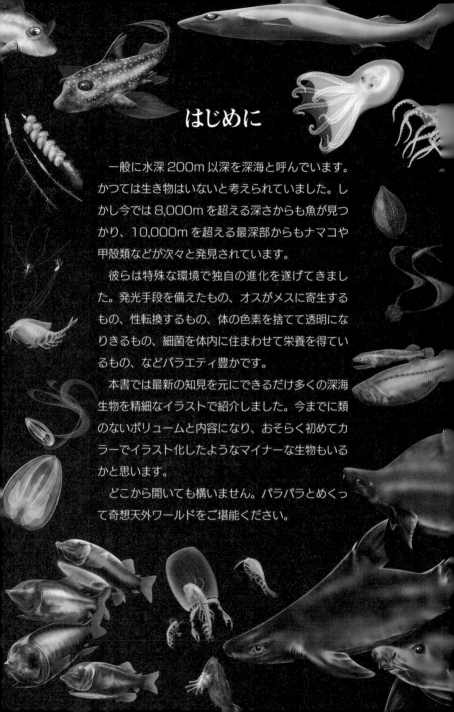

はじめに

　一般に水深200m以深を深海と呼んでいます。かつては生き物はいないと考えられていました。しかし今では8,000mを超える深さからも魚が見つかり、10,000mを超える最深部からもナマコや甲殻類などが次々と発見されています。

　彼らは特殊な環境で独自の進化を遂げてきました。発光手段を備えたもの、オスがメスに寄生するもの、性転換するもの、体の色素を捨てて透明になりきるもの、細菌を体内に住まわせて栄養を得ているもの、などバラエティ豊かです。

　本書では最新の知見を元にできるだけ多くの深海生物を精細なイラストで紹介しました。今までに類のないボリュームと内容になり、おそらく初めてカラーでイラスト化したようなマイナーな生物もいるかと思います。

　どこから開いても構いません。パラパラとめくって奇想天外ワールドをご堪能ください。

本書の見方

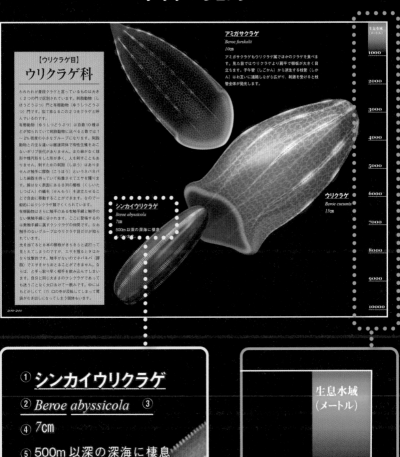

【ウリクラゲ目】
ウリクラゲ科

われわれが普段クラゲと言っているものは大きく2つの門に区別されています。刺胞動物（しほうどうぶつ）門と有櫛動物（ゆうしつどうぶつ）門です。似て非なるこの2つをクラゲと呼んでいるのです。

有櫛動物（ゆうしつどうぶつ）は百数十種ほどが知られていて刺胞動物に比べると数では1〜2%程度の小さなグループになります。刺胞動物との主な違いは雌雄同体で有性生殖をおこないポリプ世代がありません。また傘かさや鐘形や鐘円形をした形が多く、人を刺すこともありません。刺すための刺胞（しほう）はありませんが触手に膠胞（こうほう）というネバネバし細胞を持っていて粘着されてエサを捕獲する。傘によって膠胞にある8列の櫛板（しつばん）の繊毛（せんもう）を連動させることで自由に移動することができます。なので一般的にはクシクラゲ類でくくられています。

有櫛動物はさらに触手のある有触手網と触手のない無触手網に分かれます。ここに登場する3種の触手網に属すクシクラゲの仲間です。なお触手のないグループはウリクラゲ目だけが知られています。

光を当てると8本の櫛板がきらきらと輝って見られてしまうのですが、エサを獲るときはかなり攻撃的です。触手がないのでネバネバ（膠胞）でエサをからめとることができません。なので、と手に取り早く相手を飲み込みます。自分と同じ大きさのウリクラゲであっても速うことなく大口あけて一飲みです。中にはもどかしくて（？）口の中が反転してしまって胃袋が丸出しになってしまう個体も。

アミガサクラゲ
Beroe forskalii
10cm

アミガサクラゲもクラゲ属ではかのクラゲを食べます。見た目ではウリクラゲより扁平で稜板が大きさ目立ちます。子午管（しごかん）から派生する枝管（しかん）は互いに連結しながら広がり、刺激を受けると枝管全体が発光します。

シンカイウリクラゲ
Beroe abyssicola
7cm
500m以深の深海に棲息し

ウリクラゲ
Beroe cucumis
15cm

---

① シンカイウリクラゲ

② *Beroe abyssicola* ③

④ 7cm

⑤ 500m 以深の深海に棲息しています。

生息水域
（メートル）

1000

---

①和名：日本で学名の代わりに呼ばれている名称。和名のないものは学名を載せています

②属名：生物学上の属（「科」の下の分類）の名称

③種小名：その種の特徴を表す名称。属名＋種小名で学名になります

④参考サイズ：標準または最大の大きさ

⑤補足説明：その生き物に対する個別の補足説明

生息水域：
そのページ内の生物が生息している深海の深さ。上記の場合は、生息水域は0 〜 1,000m内ということになります

深海生物の基礎知識

【深海】

水深200mより深い海のこと。海の95%は深海にある。

深海生物の分布区分

【表層】

水深200mまでの海。ここは深海ではない。植物プランクトンが光合成できる限界が水深200mとされているが、水深120m地点でも太陽光はほぼ届かない。

【中深層と移行帯】

水深200 〜 800mまでの底帯と遊水層。ここからが深海。太陽光はほとんど届かない。水圧は約20気圧以上。デメニギス、オロシザメ、フシギウオ、ユウレイイカなどが棲息する。

【上部漸深層と上部漸深底帯】

水深800 〜 1,500mまでの底帯と遊水層。水圧は約80気圧以上。イトヒキイワシやラブカ、オニアンコウなど、典型的な深海魚が棲息する深さ。

【下部漸深層と下部漸深底帯】

水深1500 〜 3,000mまでの底帯と遊水層。水圧は約150気圧以上。カグラザメ、オンデンザメ、フクロウナギ、オニキンメなどが棲息する深さ。

【深海層と深海底帯】

水深3000 〜 6,000mまでの底帯と遊水層。水圧は約300気圧以上。ソコギス、ソコボウズ、ユメナマコ、ミズヒキイカなどが見られる。

【超深海層と超深海底帯】

水深6,000mよりも深い底帯と遊水層。水圧は約600気圧以上。シンカイクサウオ、ヨミノアシロ、カイコウオオソコエビなどが確認されている。

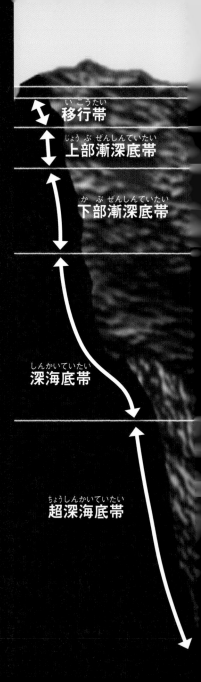

移行帯（いこうたい）

上部漸深底帯（じょうぶぜんしんていたい）

下部漸深底帯（かぶぜんしんていたい）

深海底帯（しんかいていたい）

超深海底帯（ちょうしんかいていたい）

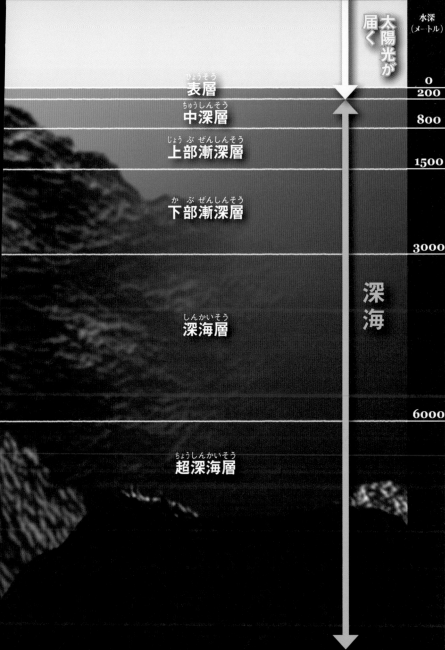

太陽光が届く

水深（メートル）

0

表層（ひょうそう）　　200

中深層（ちゅうしんそう）　　800

上部漸深層（じょうぶぜんしんそう）

1500

下部漸深層（かぶぜんしんそう）

3000

深海層（しんかいそう）

深海

6000

超深海層（ちょうしんかいそう）

＜もくじ＞

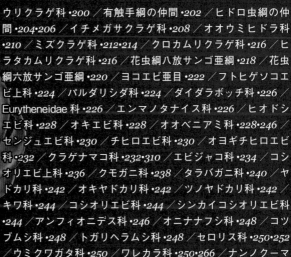

第1章

深海の
魔訶不思議な
いきもの

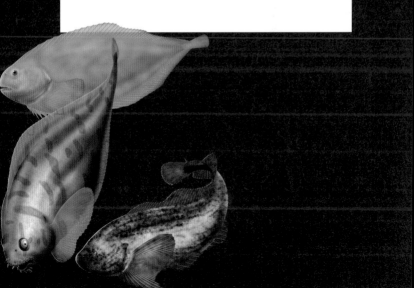

節足動物の変わり種

端脚（たんきゃく）目、等脚（とうきゃく）目、薄甲（はくこう）目の変わり者が揃いました。

キタノコギリウミノミ

Scina borealis

全長 0.8cm

端脚目クラゲノミ亜目ノコギリウミノミ科に属します。種小名の borealis は「北の」とか「北風の」という意味を持ち、aurora を付けると北極光（オーロラ）になります。察するに北方系の海域に棲息し、表層から 3,000m 付近まで知られています。

オオタルマワシ

Phronima sedentaria

4cm（♂ 1.5cm［左下］）

端脚目クラゲノミ亜目タルマワシ科に属します。漸深層の上部 800 ～ 1,500m 付近を漂い、サルパやヒカリボヤの中身を食べ、その外側をマイホームにしています。これが樽のように見えることが名前の由来です。内側の壁に幼生を貼付け、樽全体をくるくる回す習性があります。幼生が旅立つまでメスはマイホームを守り続けます。メスの特徴は大きな複眼とはさみ状に発達した第 5 胸脚を持っていること。一方のオスは腹肢（ふくし）が発達しており、触覚の鞭部も長く伸ばすことで浮遊、遊泳に適した体形になっています。クラゲノミ類はおおむねオスはそのような特徴をもっていて、遊泳しながらメスに出会うように特化したと考えられています。

生息水域
(メートル)

1000

2000

3000

4000

5000

6000

7000

8000

9000

10000

ムンノプシス　ティピカ

Munnopsis typica

1.8cm

等脚目ムンノプシス科に属するミズムシの仲間。長い脚を広げてゆっくりと1,000m辺りの中層を「歩き」ます。それぞれの脚の動きは昆虫のそれと似ていてアメンボのようにも見えます。そしてちゃんと「泳ぐ」こともできます。泳ぐ時は脚と触覚を1本に揃えて後部のヒレ状の脚をあおぎながら後ろ向きに移動します。普段はマリンスノー（marinesnow）を食べています。

ウキコノハエビ

Nebaliopsis typica

4cm

軟甲綱薄甲目 Nebaliopsidae（ネバリオプシス科）に属し、コノハエビの仲間では唯一中層を漂う浮遊性の1科1属1種です。通常のコノハエビ類は浅い海の砂泥底に棲み1cm程度にしかなりませんがこの種は4cmと大きく1,000mを超える深さを漂っています。背甲（はいこう）は2枚から成る膜状で網目模様が特徴です。

【光るアイロン】
デメニギス
の仲間

ヒカリデメニギス
Monacoa grimaldii
8cm

デメニギス目、デメニギス科。
ヒカリデメニギスの英名は Mirrorbelly（鏡面）。アイロンの底が有機 EL で光っている規格外のデメニギス、そんな感じの不思議な魚です。

肛門に棲んでいる発光細菌の光がお腹の透明な組織全体に広がることでぼんやりと光ります。

Monacoa（ヒカリデメニギス）属はそれまでヒカリデメニギスのみが知られていましたが、オーストラリア沖合いでハイイロヒカリデメニギスとクロヒカリデメニギスが採取され、ミトコンドリアゲノムの全長配列を比較したところ新種と判明、2016 年にオンラインジャーナル PLOS ONE に公開されました。

アイロンの底にある黒色素斑の模様で区別ができますが、新鮮な個体でしか観察ができません。

カウンターイルミネーション（発光によって自らの影を打ち消す）の役目が当然考えられますが種類によって斑紋の形が違っているのも何か意味があるに違いありません。

眼が天井を向いているのでこの発光腺から放たれる光をコミュニケーションに使っている可能性もあります。

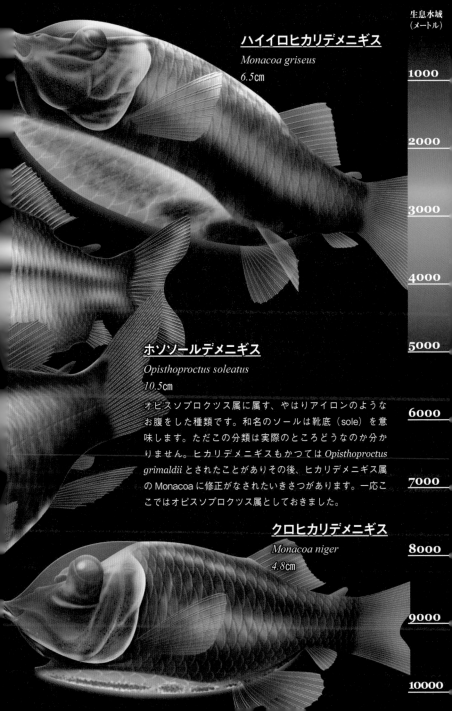

生息水域
（メートル）

ハイイロヒカリデメニギス

Monacoa griseus
6.5cm

1000

2000

3000

4000

5000

ホソソールデメニギス

Opisthoproctus soleatus
10.5cm

オピスソプロクツス属に属す、やはりアイロンのような
お腹をした種類です。和名のソールは靴底（sole）を意
味します。ただこの分類は実際のところどうなのか分か
りません。ヒカリデメニギスもかつては *Opisthoproctus
grimaldii* とされたことがありその後、ヒカリデメニギス属
の Monacoa に修正がなされたいきさつがあります。一応こ
こではオピスソプロクツス属としておきました。

6000

7000

クロヒカリデメニギス

Monacoa niger
4.8cm

8000

9000

10000

【ヒゲ自慢】
ワニトカゲギス目

ワニトカゲギス目の中のヒゲ自慢たちを集めました。

クロホシエソ

Trigonolampa miriceps

32㎝

ホテイエソ科。英名を Threelight dragonfish。控えめ
の短いヒゲを持ちます。ヒゲの先端には球形または
卵型の塊があり脂（あぶら）ビレはありません。また
眼の後ろに発光器（眼後発光器）があります。大西洋
に分布しています。

ウルチモストミアス　ミラビリス

Ultimostomias mirabilis

4㎝

ホウキボシエソ科。ヒゲは体長の10倍もあり
ます。この種は *Photostomias guernei* または
Photostomias mirabilis の同種異名（シノニム）
とされています。

生息水域
（メートル）

1000

2000

3000

ヒゲナガホテイ

Grammatostomias flagellibarba

15cm

ホテイエソ科。体長の６倍におよぶヒゲを顎の下にぶら下げています。水の抵抗を受けないのか、余計な心配をしてしまいます。釣り糸を垂れているように見えます。

4000

5000

6000

キロストミアス　プリオプテルス

Chirostomias pliopterus

20.5cm

ホテイエソ科。１属１種。ヒゲは太く短く、先端は３分岐して糸状の発光する突起を有しています。眼の後ろにある発光器（眼後発光器）はオスだけにあります。ヒゲだけでは飽き足らず数本の糸状になった胸ビレ鰭条（きじょう）の途中で膨らんでそこも発光します。さらに体の側面にも発光器を並べているという念の入れようです。電飾マニアですね。北大西洋で知られています。

7000

8000

9000

10000

【スミを吐かないタコ】
メンダコ科の仲間

タコです。八腕形上目(はちわんけいじょうもく)でメンダコ科メンダコ属に属します。メンダコの仲間は総称して Umbrella octopus と呼ばれるように足と足の間の膜(傘膜・さんまく)がほぼ足の先まで覆っています。その他の共通した特徴として、ヒレのある有鰭(ゆうき)類であり、吸盤の横にヒゲが並ぶ有触毛(ゆうしょくもう)類であり、墨袋がないのでスミを吐かない、という点が挙げられます。一般のタコはスミを吐くし、ヒレもヒゲもない無鰭(むき)、無触毛の方が主流なので、その意味では風変わりなグループです。

オオクラゲダコ
Opisthoteuthis albatrossi
全長20㎝

北日本からオホーツク海、ベーリング海、カリフォルニアにかけて棲息する北方系のメンダコ類です。第1腕の途中に肥大した吸盤を持っています。クラゲダコ(*Amphitretus pelagicus*・P338) というクラゲダコ科の透明で浮遊性の別種がいて名前を間違えやすいので注意が必要です。

センベイダコ
Opisthoteuthis japonica
全長17㎝

メンダコとセンベイダコは日本近海から特有的に見つかっています。体はゼラチン質で非常に柔らかく、泳ぐ時はぼわんぼわんとクラゲのように浮き上がり、落下傘のように下降する姿は何とも愛らしいです。吸盤は1列で両サイドに触毛が生えています。オスは根元から数えて5～10番目の吸盤が大きくなっています。センベイダコはメンダコより眼が大きく、ヒレが眼の近くにあって先端がややとんがっています。

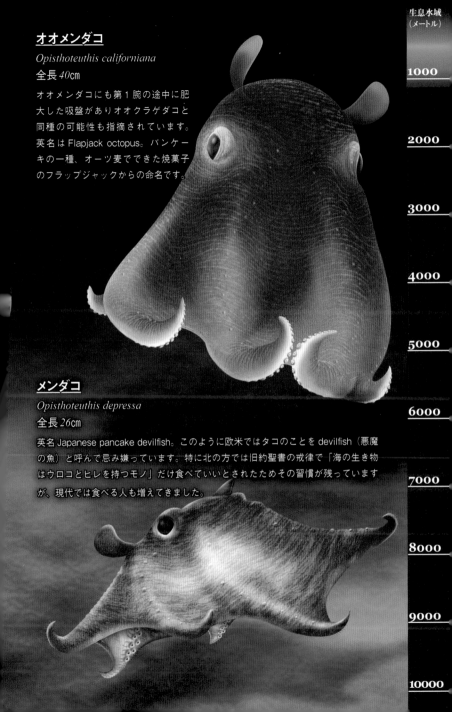

オオメンダコ

Opisthoteuthis californiana
全長 *40*cm

オオメンダコにも第1腕の途中に肥大した吸盤がありオオクラゲダコと同種の可能性も指摘されています。英名は Flapjack octopus。パンケーキの一種、オーツ麦でできた焼菓子のフラップジャックからの命名です。

メンダコ

Opisthoteuthis depressa
全長 *26*cm

英名 Japanese pancake devilfish。このように欧米ではタコのことを devilfish（悪魔の魚）と呼んで忌み嫌っています。特に北の方では旧約聖書の戒律で「海の生き物はウロコとヒレを持つモノ」だけ食べていいとされたためその習慣が残っていますが、現代では食べる人も増えてきました。

生息水域
（メートル）

1000

2000

3000

4000

5000

6000

7000

8000

9000

10000

ハワイヒカリダンゴイカ

Heteroteuthis hawaiiensis

外套長 2.5cm

お腹側に発光器があります。一見無防備ですが、光るスミを吐いて敵を攪乱させる技を持っています。このスミはねっとりしているのですぐには拡散しません。しばらくは光った塊りのまま漂うため、その間に逃げるのです。この発光物質の正体は共生させている発光細菌によるものです。発光液は自家製ではなく他のエサ生物から取り込んだものです。吸盤の並びに特徴があり、短い腕に2列の吸盤が並んでいます。第3腕には特大の吸盤が2個ほど付いています。ハワイのほか、小笠原から琉球諸島にかけてと南西太平洋など暖かい海域の数100～1,000 mに棲息しています。

【小型の可愛らしいイカ】

ダンゴイカ科の仲間

小さくてころんころんした可愛いイカの仲間でコウイカ目ダンゴイカ科に属します。海底直上をホバリングしたり寝そべったりしています。

ギンオビイカ

Sepiolina nipponensis

外套長 4cm

その名の通り銀色の帯を外套膜の両サイドに持っています。この種も発光液を噴射します。腕の吸盤は2列、掌部（しょうぶ）は狭く13〜16列で小さな吸盤が並んでいます。多くのミミイカ類は海底近くにいますがギンオビイカは遊泳性に富んで活発に泳ぎます。西日本から台湾、フィリピン、オーストラリアにかけて棲息しています。英名は Japanese bobtail。ちなみに"ジャパニーズボブテイル"で検索すると尻尾の短い猫がこれでもかと表示されます。尻尾の形からの命名なのでしょうか。

ボウズイカ

Rossia pacifica

外套長 8cm

ミミイカ（*Euprymna morsei*）に似ていますが外套膜の背面の縁が頭部と癒着しないで分かれている点や、サジ状の軟甲を持つ点が異なります。またミミイカの方は沿岸域で見られる浅海性です。ボウズイカの腕の吸盤は2列で触腕先端の掌部は細かい8列になっています。オスの第1腕は左右とも交接腕になっていて生殖の時に出番があります。寒い所が好みで北日本からベーリング海、アラスカ、カリフォルニアにかけての数100mの海底に棲息しています。英名は North Pacific bobtail。

1000

2000

3000

4000

5000

6000

7000

8000

9000

10000

【人の小指程度の小さなイカ】
トグロコウイカ

変わっているのは、イカなのにトグロを巻いた殻を持っている
ことです。その螺旋（spiral）の特徴は属名にも種小名にも表
われています。本来コウイカの仲間はイカの甲（Cuttlebone）
という貝殻の名残が残っていますが、多くはヘラ状や針金状、
舟状の形になっています。唯一トグロコウイカだけが巻貝状の
ものを持っています。英語では羊の角に似ているところから
Ram's horn shell と呼ばれます。稀に海岸に殻だけが打ち上げ
られ、貝の１種と間違われてしまうのも無理からぬことです。
成長期、トグロの中は海水と同じ浸透圧の体液で満たされ、だ
んだん水圧に耐えられるようになると螺旋に沿って走る連室細
管（れんしつさいかん）から液が排出され、代わりにガスで満
たされます。これが浮きになって海中では立った姿勢で漂いま
す。……と今までは考えられていたのですが、2020年に撮影
された動画はその推測を裏切るものでした。脚（頭）を上にし
てトグロは下に向けて漂っていたのです。
外套膜の後端のくぼんだ所に1つだけ発光器があるのですが、下
から見上げた捕食者の目をくらます目的であればその姿勢も合
点がいきます。トグロの中のガスの量を調節することで浮いた
り沈んだりすることができます。スキューバダイビングの中性
浮力を生身の体で実現しているんですね。日中、1,000mの深さ
に潜ることがあるので殻はかなり丈夫にできています。
また撮影された映像にはスミを吐くシーンも映っていました。こ
れも今までは退化していると考えられていた機能だったので見
事に裏切られました。事実は奇なりですね。腕と触腕は短くて外
套膜の中に引っ込めることもできます。トグロコウイカ目トグ
ロコウイカ科、1科1属1種です。

トグロコウイカ

Spirula spirula

外套長 3cm

1000

2000

3000

4000

5000

6000

7000

8000

9000

10000

サッコファリンクス　ラヴェンベルギ

Saccopharynx lavenbergi
180cm

【喉が袋状に膨らむ】
フウセンウナギ科

フウセンウナギ目フウセンウナギ科フウセンウナギ属。
しばしばフクロウナギ(P024)と混同されますが、立派な歯があることからもこちらは肉食です。ただフクロウナギとともにミトコンドリアゲノム解析で他の脊椎動物と大きく異なる遺伝子配列を持っていることが最近の研究で分かってきているそうです。
エラ孔はお腹寄りに開いています。尾の先端に発光器を持ちます。ウロコはありません。歯はあるといっても深海魚の中では小さく、そのかわりカギ状で内側に倒せる構造なのでくわえた獲物は逃がしません。
レプトケファルス(Leptocephalus)という仔魚の世代を経由します。
カライワシ下区といわれるカライワシ目、ソトイワシ目、ソコギス目、ウナギ目、フウセンウナギ類(ウナギ目)の透明な柳の葉っぱのような仔魚の姿を特徴づけてそう呼ばれています。

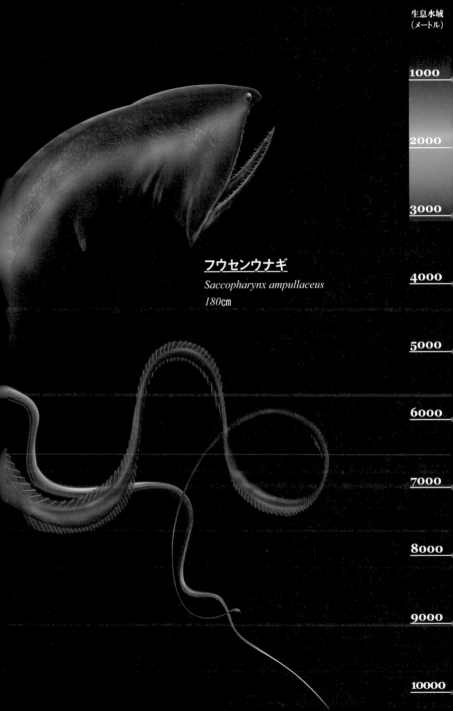

1000

2000

3000

4000

5000

6000

7000

8000

9000

10000

フウセンウナギ

Saccopharynx ampullaceus

*180*cm

フクロウナギ科、
ヤバネウナギ科

個性派役者です。フウセンウナギ目フクロウナギ科のフクロ
ウナギは昔から魚の図鑑に The 深海魚として載っていますね。

フクロウナギ

Eurypharynx pelecanoides
75cm（仔魚3cm ［下青枠内の左]）

フクロウナギの特徴は何といってもこの風
体でしょう。大きな口に小さな胴体、次第
にすぼんで糸状になった尾、全体は真っ黒
です。眼は先端についているので頭部は極
めてスモールサイズ、ほとんどが「ほうれ
い線」なんです。その頭骨よりはるかに大
きな口に歯はほとんど見当たらず、食性は
プランクトン、捕食時には喉を膨らませて
海水と一緒に飲み込みます。余分な水はお
腹側に開いたエラ孔から吐き出します。学
名の *Eurypharynx pelecanoides* は「幅広
い喉」＋「ペリカン」の意。ウロコも腹ビ
レも尾ビレもありません。尾っぽの先端に
は発光器があります。

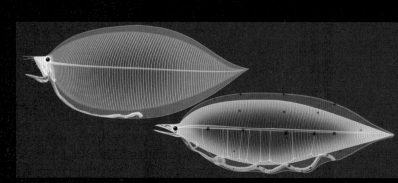

生息水域
（メートル）

ネオサイエマ　エリソロソーマ

Neocyema erythrosoma

16cm

ヤバネウナギと同じ仲間で、全体が鮮や
かなオレンジ色をしています。深海では
赤系統はほぼ暗闇に溶け込んでしまいま
す。2,400 mの深さから見つかりました。
一応眼は認められますがほとんど痕跡的
であまり見えてはいないようです。

1000

2000

3000

4000

5000

6000

7000

ヤバネウナギ

Cyema atrum

16cm（仔魚3cm［左青枠内の右下]）

8000

ヤバネウナギは見たまま「矢羽根」ですね。シギウナギ（P078）のような細い
くちばしを持っていて内側にはヤスリ状の歯が並んでいます。仔魚時代のレプト
ケファルス（Leptocephalus）はウナギ目の中では背腹に幅の広い姿をしていて、
この時はちゃんとした歯が生えています。昔はセムシウナギ科と呼ばれるグルー
プがありましたが差別的用語を含むということで今はヤバネウナギ科に。そして
このグループにはヤバネウナギとネオサイエマ　エリソロソーマの2種のみが知
られています。非常に珍しい種類です。

9000

10000

フクレツノナシオハラエビ

Rimicaris exoculata

全長 6㎝

大西洋の深海 1,750 ～ 3,650m で密集している十脚目オハラエビ科のエビです。本来の眼は失われていますが、熱水は 300℃以上で中～遠赤外線を放っているため、甲にある背上眼（はいじょうがん）または背器官（はいきかん　dorsal organ）と呼ばれる部位で熱を「見る」ことができます。この特別な器官は表面に角膜を持ち、光受容物質であるロドプシンに似た視物質（吸収した光で構造が変化する感光性の色素タンパク質）を大量に含んでいます。

名は民謡会津磐梯山に登場する朝寝、朝酒、朝湯が大好きで身上（しんしょう＝生活）つぶした小原庄助から。

熱水噴出域に棲む甲殻類

深海には、地熱で熱された熱水が吹き出す「熱水噴出域」があります。そこには多くの深海生物が集まっており、甲殻類も群れています。

ユノハナガニは飼育観察結果からは、熱源に近くて大きいサイズは生存期間が長く、摂餌(せつじ)後に熱源に集まる個体が多いことが分かっています。反面、絶食時は熱源に集まる回数が減り、消化活性能力と棲息深度に正の相関がみられることから消化酵素が関係していると考えられています。

フクレツノナシオハラエビが熱水噴出孔に近づく理由は無論、食べていくためです。ゴエモンコシオリエビ(P245)やキワ(Kiwa)属(P244)と同様、γプロテオバクテリアとεプロテオバクテリアが膨れた頭胸甲(とうきょうこう)内のエラに共生していて、熱水中の硫化水素をこのバクテリアが分解し、その結果化学合成される有機物をエサにしています。高温の熱水ほど硫化水素の濃度が高くバクテリアの活動も活発になるのです。

ユノハナガニ

Gandalfus yunohana

甲幅6cm

ユノハナガニは30℃付近のぬるま湯がお好みです。眼は退化していて真っ白い体色をしています。属名のGandalfusは映画「ロードオブザリング」に登場する白の魔法使いガンダルフから付けられました。

熱水に近づいても赤くはなりません。430～1,600mにかけて棲息、脱皮をしながら成長します。十脚目ユノハナガニ科に属します。

1000
2000
3000
4000
5000
6000
7000
8000
9000
10000

熱水噴出域に棲む魚たち

熱水噴出域に棲む生き物というとユノハナガニやハオリムシといった魚類以外の生物が思い浮かびます。しかしエサとなる生き物が多く集まるならば、あえて有毒の硫化水素に近づくという多少の危険を冒してでも熱水噴出域の近くを選んで生活する種類が現れました。

ここに紹介する中にも、絶対この場所でなければいけない種類とたまたま近くにいて興味本位で立ち寄った程度のものがいるかもしれません。

パキィカラ　サーモフィラム

Pachycara thermophilum
38.8cm

スズキ目ゲンゲ科の仲間で大西洋中央海嶺の3,480mに棲息しています。この種は熱水噴出域に特異的に見られ、フクレツノナシオハラエビ（*Rimicaris exoculata*・P026）ややはりオハラエビ科の *Chorocaris chacei* を捕食していることが分かっています。

エプタトレタス　ストリクロティ

Eptatretus strickrotti
31.4cm

ヌタウナギ目ヌタウナギ科ヌタウナギ属での熱水噴出域棲息種としては初記録です。ミミズのように細くピンク色がかっています。2005年にイースター島南の深海2,300mで見つかりました。

イデユウシノシタ

Symphurus thermophilus
10cm

カレイ目ウシノシタ科。種小名は「暖かさを好む（thermophilus）」。和名も「出湯」、カレイ目では唯一この特殊環境に特化した種類です。西部太平洋の300〜400m深さの熱水噴出孔付近5〜22℃の場所に棲息しています。

生息水域
（メートル）

1000

2000

3000

4000

5000

6000

7000

8000

9000

10000

カレプロクタス　ハイアレイウス

Careproctus hyaleius

12.3㎝

カジカ目クサウオ科、ビクニンの仲間です。東太平洋海嶺の水深 2,630m で見つかりました。

トゲカスベ

Bathyraja spinosissima

150㎝

ガンギエイ目ガンギエイ科。オホーツク海からも知られているので熱水噴出域の特異種というわけではありません。この白いカスベは 2018 年の英オンライン科学誌 "Scientific Reports" の論文で注目を集めました。南東太平洋ガラパゴスリフト 1,650 ～ 1,700 ｍの海域で、周囲（2.7℃）より平均水温が高いブラックスモーカー周囲 20 ｍ以内に多数のオリーブグリーン色の卵嚢（らんのう）が見つかりました。そこで熱を利用して卵を温めているのではないかという仮説が立てられました。そうすることで孵化の期間を短縮させられると考えられています。

サーマルケス　ケルベラス

Thermarces cerberus

21.8㎝

スズキ目ゲンゲ科で東太平洋海嶺、ガラパゴスリフトの熱水噴出域に棲息しています。研究の結果、栄養の豊富な熱水噴出域に棲息するため一般の深海底魚類より高い代謝率を示していることが分かりました。

ベントミソフリア　パリアタ

Benthomisophria palliata

0.6cm

多甲殻上綱（たこうかくじょうこう）ミソフリア目ミソフリア科ベントミソフリア属に属するカイアシの仲間。北大西洋、北太平洋の深海 1,000 ～ 4,000m の深さから獲られています。

ディノネメルテス　シンカイイ

Dinonemertes shinkaii

3.3cm

2000 年のしんかい 6500 による日本海溝三陸沖調査の際に 2,343m の深さで採取された標泳性ヒモムシの仲間です。長さこそ標準的ですが幅が広く後部を波立たせて泳ぎます。普段はじっとしていて頭部を上に静止しているところが観察されているので待ち伏せ型と推測されます。寒天状の透明な体と鮮やかな紅色の腸管を持っています。針紐虫綱（はりひもむしこう）多針目（たしんもく）に属します。

【深さ2,000 ～ 3,000mの漆黒の闇】
深海浮遊性の
小型生物たち

2,000 ～ 3,000m の深さは漆黒の闇で、しかも海底から離れた海の中は独特の世界です。昼夜や季節感に乏しく、時々発光生物が放つ光以外は静寂で懸濁物（けんだくぶつ）だけがしんしんと降る世界、時間の進み方も違うことでしょう。そんな世界でも生き物は生を紡いでいます。

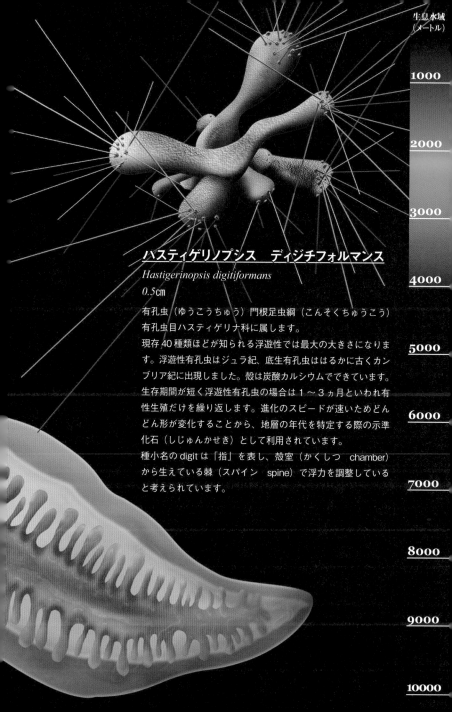

ハスティゲリノプシス　ディジチフォルマンス

Hastigerinopsis digitiformans

0.5cm

有孔虫（ゆうこうちゅう）門根足虫綱（こんそくちゅうこう）有孔虫目ハスティゲリナ科に属します。

現存40種類ほどが知られる浮遊性では最大の大きさになります。浮遊性有孔虫はジュラ紀、底生有孔虫ははるかに古くカンブリア紀に出現しました。殻は炭酸カルシウムでできています。生存期間が短く浮遊性有孔虫の場合は1〜3ヵ月といわれ有性生殖だけを繰り返します。進化のスピードが速いためどんどん形が変化することから、地層の年代を特定する際の示準化石（しじゅんかせき）として利用されています。

種小名のdigitは「指」を表し、殻室（かくしつ　chamber）から生えている棘（スパイン　spine）で浮力を調整していると考えられています。

生息水域（メートル）

1000

2000

3000

4000

5000

6000

7000

8000

9000

10000

ピンポンツリースポンジ

Chondrocladia lampadiglobus

50cm

海底2,600〜3,000mで発見されています。
ピンポンツリースポンジもジャイアントク
ラブスポンジも普通海綿綱角質海綿亜綱多
骨海綿目エダネカイメン科というグループ
に属します。現在肉食系海綿はこのエダネ
カイメン科だけが知られています。

【肉食もいます】
深海底の
海綿の仲間

海綿の仲間には肉食性と濾過食性がいます。ここに
紹介した3種ではピンポンツリースポンジとジャイ
アントクラブスポンジが肉食、グリーングローブスポン
ジが濾過食です。ンテリアに使えそうな見た目の方
が肉食系なんです。

肉食性海綿の場合、カイアシなどの動物プランクトン
がこのきれいなボールに乗っかろうものなら、表面
から伸びたたくさんの細い枝にある骨片に捕らえら
れ、もはや逃れることはできません。この骨片は端が
鈎状(かぎじょう)になっていてマジックテープのよう
に引っかかりやすくなっているので、もがけばもが
くほど絡まっていきます。そして次第にボールの中
に吸収、消化されてしまうのです。

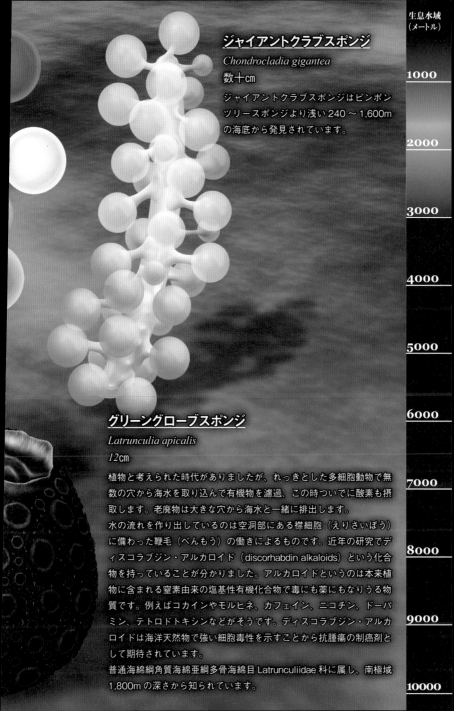

生息水域
（メートル）

1000

2000

3000

4000

5000

6000

7000

8000

9000

10000

ジャイアントクラブスポンジ

Chondrocladia gigantea

数十cm

ジャイアントクラブスポンジはピンポン
ツリースポンジより浅い240～1,600m
の海底から発見されています。

グリーングローブスポンジ

Latrunculia apicalis

12cm

植物と考えられた時代がありましたが、れっきとした多細胞動物で無
数の穴から海水を取り込んで有機物を濾過、この時ついでに酸素も摂
取します。老廃物は大きな穴から海水と一緒に排出します。

水の流れを作り出しているのは空洞部にある襟細胞（えりさいぼう）
に備わった鞭毛（べんもう）の働きによるものです。近年の研究でデ
ィスコラブジン・アルカロイド（discorhabdin alkaloids）という化合
物を持っていることが分かりました。アルカロイドというのは本来植
物に含まれる窒素由来の塩基性有機化合物で毒にも薬にもなりうる物
質です。例えばコカインやモルヒネ、カフェイン、ニコチン、ドーパ
ミン、テトロドトキシンなどがそうです。ディスコラブジン・アルカ
ロイドは海洋天然物で強い細胞毒性を示すことから抗腫瘍の制癌剤と
して期待されています。

普通海綿綱角質海綿亜綱多骨海綿目 Latrunculiidae 科に属し、南極域
1,800m の深さから知られています。

【フイゴのような口】

ステューレポルス
コルダタス

赤道付近の外洋中層や深層にかけて、主に300〜800m付近に棲息しています。ステューレポルス目ステューレポルス科、1科1属1種の変わり種。かつてはアカマンボウ目に分類されていましたが遺伝子の塩基配列を詳細に調べた結果、むしろタラ目と姉妹関係にありステューレポルス目として独立しました。

英名は Tube eye または Thread tail(糸状の尾)。突き出したチューブ状の口と筒状の眼を持ち、胴体は細長く側扁（そくへん）しています。尾ビレはパイプ状になっていて鰭条（きじょう）の下２本は極端に長く伸びています。眼は望遠眼で黄色い水晶体が何とも怪しげです。体色は銀色、頭部は暗色。カイアシなどを捕らえる時は口先を近づけ、ふいご（鞴）のように頭部を跳ね上げることで"ひゅるん"と吸い込みます。余分な水はエラから排水します。口をがばっと開くわけではありません。まさしくスポイトで吸い取るような行動です。

普段は頭を上にして漂っています。似ている魚を思い浮かべるのが困難なくらい奇妙な姿をしています。

スタイルフォルスあるいはステューレフォルスと表記されることもあります。

ステューレポルス　コルダタス

Stylephorus chordatus

*28*cm

生息水域
（メートル）

1000

2000

3000

4000

5000

6000

7000

8000

9000

10000

【飲み込む者】
クロボウズギス科
の仲間

ここにはスズキ目クロボウズギス科の4属すべてが登場します。クロボウズギス科の仲間はDeepsea swallower（飲み込む者）と呼ばれいずれ劣らぬ大食漢ぞろいです。何でも胃袋に詰め込むのは貧栄養な外洋で生き残るための手段なのです。棲息範囲が中深層から3,000mの漸深層におよぶ典型的な深海魚です。

クロボウズギス

Pseudoscopelus sagamianus

14.5㎝

胸ビレが長く下顎から尻ビレ後端にかけて黒点状の発光組織を持つことがクロボウズギス属の特徴です。ウロコはありません。中央太平洋やニュージーランドにかけて棲息していますがインドネシア付近からは報告されていません。種小名 sagamianus にあるように日本では相模灘から報告されています。

トゲボウズギス

Dysalotus alcocki

22.5㎝

トゲボウズギス属は側線の背中側とお腹側に小さい棘の列が何本か並んでいる特徴があります。発光組織はありません。またトゲボウズギスの歯は小さくオニボウズギスのような牙状にはなっていません。

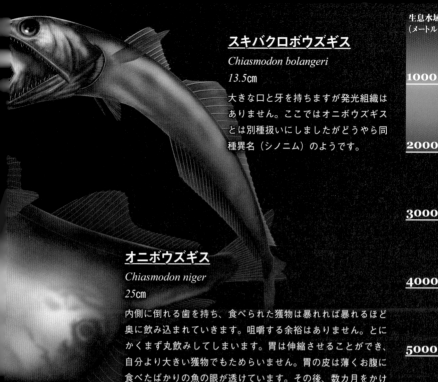

スキバクロボウズギス

Chiasmodon bolangeri

13.5cm

大きな口と牙を持ちますが発光組織は
ありません。ここではオニボウズギス
とは別種扱いにしましたがどうやら同
種異名（シノニム）のようです。

1000

2000

3000

オニボウズギス

Chiasmodon niger

25cm

4000

内側に倒れる歯を持ち、食べられた獲物は暴れれば暴れるほど
奥に飲み込まれていきます。咀嚼する余裕はありません。とに
かくまず丸飲みしてしまいます。胃は伸縮させることができ、
自分より大きい獲物でもためらいません。胃の皮は薄くお腹に
食べたばかりの魚の眼が透けています。その後、数カ月をかけ
てゆっくりと消化するのです。

5000

オニボウズギス属に属します。種小名 niger は「黒い」。英名は
Black swallower. 大西洋、インド洋ほか日本では駿河湾の中深
層から知られています。

6000

7000

ワニグチボウズギス

Kali indica

17cm

8000

ワニグチボウズギス属に属し日本の太平洋側ほか中
央太平洋や大西洋に分布しています。発光組織はあ
りません。ワニグチボウズギス属は稚魚に著しく伸
長した胸ビレと腹ビレが見られるため、特にこの時
期はガルガロプテロン期と呼ばれています。他の3
属には見られない特徴です。

9000

10000

クマサカガイ科の仲間

いずれもクマサカガイ科に属します。

クマサカガイ

Xenophora pallidula

10cm

殻に色んな宝飾品（ガラクタ？）をセメント状の
分泌物でくっつける習性があります。貝の殻が多
く、巻貝専門や二枚貝専門をはじめ、黒石専門、
白石専門、ほかにサンゴ専門やサメの歯、飲料缶
のプルトップなどのガラクタ専門など好き嫌いが
個性的です。和名のクマサカは平安時代の伝説上
の盗賊、熊坂長範（くまさかちょうはん）からの
命名です。棒や薙刀（なぎなた）、大太刀ほか7
つ道具を身に付けていたことが由来になっていま
す。英名は Carrier shell、学名の Xenophora には
「異物、背負う」の意味があります。くっつける
理由についてはよくわかっていません。浅場から
1,000 m を超える深さから知られています。1億
3500 万年前の白亜紀にはすでに登場しています。

キヌガサガイ

Onustus exutus

10cm

キヌガサガイの殻は薄く表面には何も付けていません。なので
英名は Barren Carrier Shell（殺風景なクマサカガイ）。クリー
ム色から明るい褐色で絹でできた笠のように見えるところから
命名されました。足を海底に差し込んで殻を前方にグイッと動
かすことですばやく移動することができます。インド洋から西
太平洋にかけての 350m 付近にまで棲息しています。

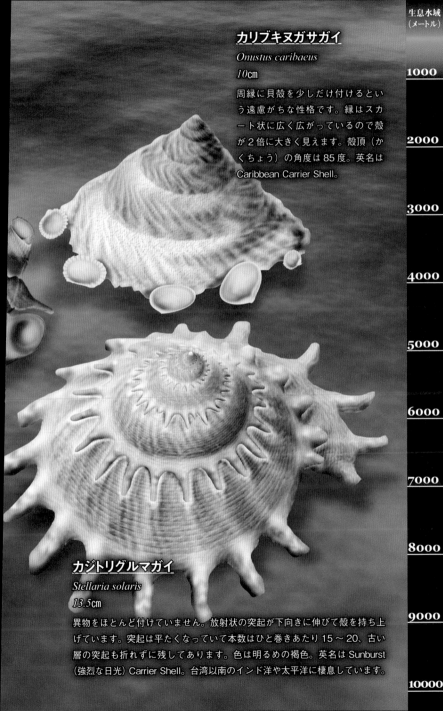

カリブキヌガサガイ

Onustus caribaeus

10㎝

周縁に貝殻を少しだけ付けるという遠慮がちな性格です。縁はスカート状に広く広がっているので殻が2倍に大きく見えます。殻頂（かくちょう）の角度は85度。英名はCaribbean Carrier Shell。

カジトリグルマガイ

Stellaria solaris

13.5㎝

異物をほとんど付けていません。放射状の突起が下向きに伸びて殻を持ち上げています。突起は平たくなっていて本数はひと巻きあたり15～20、古い層の突起も折れずに残してあります。色は明るめの褐色。英名はSunburst（強烈な日光）Carrier Shell。台湾以南のインド洋や太平洋に棲息しています。

生息水域
（メートル）

1000

2000

3000

4000

5000

6000

7000

8000

9000

10000

ギガントペルタ　チェッソイア

Gigantopelta chessoia

4cm

ギガントペルタ　チェッソイアはギガン
トペルタ　イージスにあるような守るべ
き装甲はありません。種小名 chessoia は
熱水噴出孔を発見した ChEss プロジェク
トに因みます。東スコシア海嶺の熱水噴
出域に棲息しています。

ウロコフネタマガイ

Chrysomallon squamiferum

4cm

英名 Scalyfoot、軟体部の足にウロコ状の硫化鉄
を持ち、磁石にもくっつきます。2001 年にイン
ド洋かいれいフィールドもんじゅチムニーの水深
2,422m で発見されました。後年、700㎞離れたソ
リティア熱水フィールドで見つかった同種は硫化鉄
に覆われていなかったため白っぽく、先のクロスケ
に対しシロスケと呼ばれていますが両者は遺伝的に
ほとんど差がないことが分かっています。さらに南
西インド洋海嶺のドラゴンフィールドにも仲間がい
て、こちらはドラスケと呼ばれています。
2019 年 7 月、国際自然保護連合（IUCN）によっ
てレッドリストの絶滅危惧種（Endangered_EN）
に指定されました。

生息水域
（メートル）

1000

2000

3000

4000

5000

6000

7000

8000

9000

10000

【熱水噴出域に棲息する貝類】
ペルトスピラ科の仲間

広い大洋の熱水噴出域というピンポイントに棲息する巻貝の仲間です。腹足目ネオンファルス目ペルトスピラ科に属します。

ギガントペルタ　イージス

Gigantopelta aegis

4㎝

東スコシア海嶺の熱水噴出域に棲息し、酸化鉄の装甲があります。種小名のイージスはギリシャ神話のゼウスが娘アテナに与えた盾（たて）のことです。私たちが知っているのは軍用に使われているイージス艦でしょうか。でもこれは盾だけでなく矛（ほこ）としての攻撃能力も備えているので少し違和感があります。属名の Giganto は「巨大」、pelta は『盾』を意味します。蓋を覆う酸化鉄は何と 5mm もの厚さがあります。

パキデルミア　ラエヴィス

Pachydermia laevis

0.5㎝

他の３種と同じペルトスピラ科ですが、姿かたちはずいぶん違います。巻きの最後 1/4 は緩くてスキマができています。途中で力尽きたのでしょうか。東太平洋海嶺から知られ、ポンペイワーム（P260）の棲管（せいかん）に付着しています。雌雄異体ですが精子を海中に放出しメスの卵巣内で受精します。

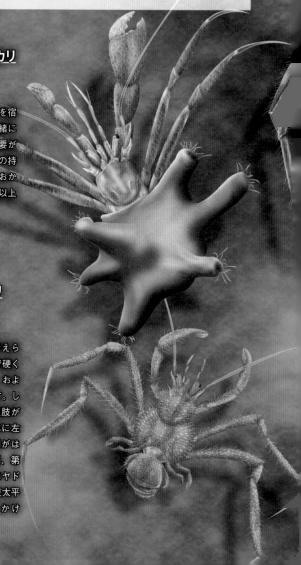

異形のヤドカリとカニ

巻貝を利用しないイギョウシンカイヤドカリとキカイシンカイヤドカリなど、かなり
非常識な特徴を備えたオキヤドカリ科の仲間と深海に住むカニです。

アシボソシンカイヤドカリ

Parapagurus furici

前甲長 1.2cm

生きたスナギンチャクの仲間を宿
代わりに背負っています。一緒に
成長するので引っ越しする必要が
ありません。スナギンチャクの持
つパリトキシンという毒素のおか
げで貝殻同様、あるいはそれ以上
の防御になっています。

キカイシンカイヤドカリ

Probeebei mirabilis

全長 6.5cm

当初原始的なエビの1種と考えら
れた時期もあります。腹部まで硬く
石灰化し棘も発達しています。およ
そヤドカリからは遠い印象です。し
かしよく見るとメスは第1腹肢が
なく第2〜第5腹肢が非対称に左
側についていることや第1脚がは
さみで第2、第3脚は歩行用、第
4、第5脚が退化的なところはヤド
カリの特徴も備えています。東太平
洋の水深1,145〜4,775mにかけ
て分布し1属1種です。

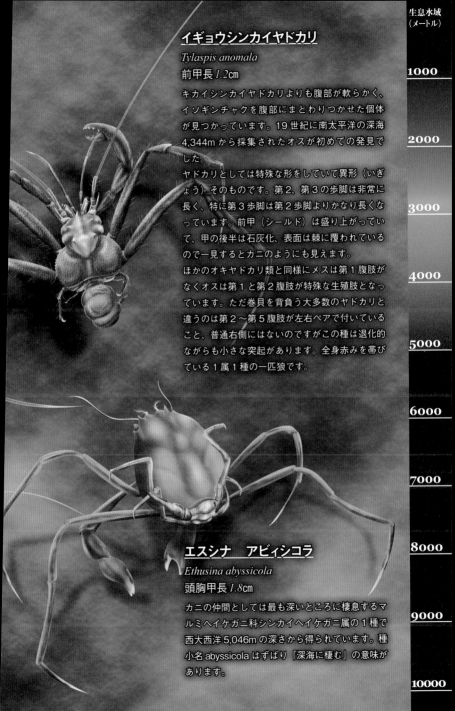

イギョウシンカイヤドカリ

Tylaspis anomala

前甲長 1.2cm

キカイシンカイヤドカリよりも腹部が軟らかく、イソギンチャクを腹部にまとわりつかせた個体が見つかっています。19世紀に南太平洋の深海4,344mから採集されたオスが初めての発見でした。

ヤドカリとしては特殊な形をしていて異形（いぎょう）そのものです。第2、第3の歩脚は非常に長く、特に第3歩脚は第2歩脚よりかなり長くなっています。前甲（シールド）は盛り上がっていて、甲の後半は石灰化、表面は棘に覆われているので一見するとカニのようにも見えます。

ほかのオキヤドカリ類と同様にメスは第1腹肢がなくオスは第1と第2腹肢が特殊な生殖肢となっています。ただ巻貝を背負う大多数のヤドカリと違うのは第2～第5腹肢が左右ペアで付いていること、普通右側にはないのですがこの種は退化的ながらも小さな突起があります。全身赤みを帯びている1属1種の一匹狼です。

エスシナ　アビィシコラ

Ethusina abyssicola

頭胸甲長 1.8cm

カニの仲間としては最も深いところに棲息するマルミヘイケガニ科シンカイヘイケガニ属の1種で西大西洋5,046mの深さから得られています。種小名 abyssicola はずばり「深海に棲む」の意味があります。

生息水域
（メートル）

1000

2000

3000

4000

5000

6000

7000

8000

9000

10000

コトクラゲ

Lyrocteis imperatoris

10㎝

固着型で遊泳しない有櫛動物門有触手綱扁櫛目
コトクラゲ科のクラゲです。鯨骨生物群集にい
ますが鯨骨固有ではありません。たまたま固着
に適した骨が見つかったので定住したようです。
属名 Lyrocteis は「竪琴の形をしたクシクラ
ゲ」、種小名のエンペラー（imperatoris）は
1941 年に江ノ島で採取した昭和天皇に因ん
だ命名です。明治時代に発見されていたので
すが「奇妙な動物」と表記されていたところ
を、1941 年に昭和天皇が同種であると直感し
て調べられ、翌年に新種として記載されたい
きさつがあります。雌雄同体で受精卵は育房
（いくぼう）で育ち、泳ぎだした幼生時代にあ
る櫛板（くしいた）は成体になるにしたがって
消失します。先端から伸ばした2本の触手で
エサを粘着させ、引き寄せて食べています。色
彩のバリエーションが豊かです。

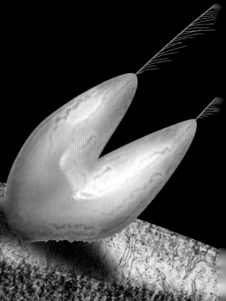

ホネクイハナムシ

Osedax japonicus

4㎝

赤い曼珠沙華のような花を咲かせているのはホネク
イハナムシ、通称ゾンビワーム、学名の Osedax は
「骨をむさぼる者」の意味を持ちます。2004 年に発
見されたゴカイの仲間です。環形動物門多毛綱ケヤ
リムシ目シボグリヌム科というところに属します。
クジラの骨の中に球根のようなルート（root）が根
付き、共生細菌が骨の脂肪から栄養を得て宿主とな
るホネクイハナムシを養っています。生涯を通じて
口や消化管、肛門を持つ世代がありません。肉眼で
見えているのはメスでオスは非常に小さい矮雄（わ
いゆう）がメスの体に寄り添っています。

生息水域
（メートル）

1000

【クジラの遺骨も立派な家】
鯨骨生物群集に棲む生き物

クジラの亡骸（なきがら）は色々な生き物を呼び寄せます。沈んだ直後は肉を求め
てサメやヌタウナギ（*Eptatretus burgeri*・P072）、コンゴウアナゴ（*Simenchelys
parasitica*・P076）といった魚類がむさぼります（段階Ⅰ mobile scavenger stage）。
その後、腐敗が進んでくると頃合いを見計らって魚以外の生物たちがじわじわ侵攻
を始めます（段階Ⅱ enrichment opportunist stage）。次に化学合成を特徴とする生態
系が出現します（段階Ⅲ sulphophilic stage）。こうしてやがてデトリタス食の生物が
優占しだし鯨骨（げいこつ）生物生態系は終焉を迎えます(段階Ⅳ reef stage)。

2000

3000

ゲイコツナメクジウオ
Asymmetron inferum
2cm

ナメクジウオ類は身近な浅場で知られていて普通は「浅
く」「流れの速い」「清浄な」場所に棲息しています。ゲ
イコツナメクジウオは正反対で「深く」「流れの遅い」
「腐敗した」場所を好みます。脊索動物門頭索動物亜門に
属し、脊椎動物に最も近い無脊椎動物といわれています。
骨は作らず脊索で体を支えたまま成熟します。普段は鯨
骨近くの泥の表面に体を埋もれさせています。

4000

5000

6000

ヤエラ　ティレリ
Jaera tyleri
4cm

クジラの骨に群がるダ
ンゴムシの仲間で節足
動物門甲殻亜門軟甲綱
等脚目ウミミズムシ科
に属します。

7000

8000

9000

10000

　地球上の約 7 割は海、というのは表面積の話。生物が活動している生命圏として陸地と海洋を比較する場合はタテ方向 (高さまたは深さ) を考慮する必要がある。

　全海洋の面積は約 3.6 億 km^2 で平均の深さは約 3,800m、対し陸地の面積は約 1.5 億 km^2 で山も谷も平らに均すと高度は約 840m になる。

　人は地面にへばりついて生活しているが、陸上には鳥や虫などの空中を生活範囲とする生き物もいるので、仮に陸上の生き物の生活範囲を高さ 30m とすると、陸地と海洋の生活空間の比は 1:300 になる。

　高さ 30m は特に根拠はないが、いずれにしても、巨大な水塊が何億年という年代を経て多様な生き物の栄枯盛衰を連綿と紡いできて今の姿がある。地球史 46 億年の中で海の誕生はおよそ 40 億年前、海が無ければ生命の誕生はなかった。

　陸地と海洋の違いはその大きさだけではない。陸上ではビルを 10m 上っても 1 気圧のままだが、海の中では 10m 潜るとそれだけで 1 気圧プラスされる。平均水深まで潜ると 380 気圧の水圧がかかる。当然体内に気体を抱えている動物は生身では耐えられない。光も届かなくなる。太陽光のうち赤色が真っ先に吸収され、青色はより深く届く。といっても植物プランクトンが光合成できる限界である 0.1% の光の強さになる深さ (補償深度) はせいぜい 200m である。深海は暗黒世界なのである。

　水温は表層こそ緯度でバラツキがあるが 1,000m 以深は 2 〜 3℃に収束される。だだっ広くて高圧、暗闇、低温……勇気ある一部の生き物がそんな深海に進出したのだ。

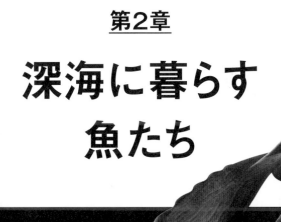

第2章

深海に暮らす
魚たち

【ギンザメ目】
ギンザメ科

魚類3万種のうち4％が軟骨魚類で、サメ類500種以上とエイ類約700種がいます。ギンザメ類は軟骨魚類のさらに約3％、約40種と少数派のグループです。ギンザメ目ギンザメ科の属名の Chimaera はラテン語のキマエラ、英語でいう Chimera（キメラ）からきています。初めて見た時、およそ魚に見えなかったのでしょうね。

頭が異様に大きい反面、胴体の後半は極端に細くなっていてサメやエイとは似ても似つかない風貌です。分類上もサメやエイの板鰓亜綱（ばんさいあこう）に対して全頭亜綱（ぜんとうあこう）に属し、約4億年前のシルル紀からデボン紀にかけて栄えました。

鰓孔（さいこう）が1対で第1背ビレを寝かせることができます。オスはおでこにある出っ張り、フロンタルクラスパー（前額交接器）でメスの胸ビレをつかんで体を安定させてから、腹ビレ根元にある本来のクラスパー（交接器）の片側を使って交尾します。片側と言ったのは、軟骨魚類の仲間はおちんちんが2つあるからです。これは腹ビレの一部が変形したもので、オスメスを見分ける特徴の1つになっています。

ムラサキギンザメ
Hydrolagus purpurescens
80cm

ギンザメ
Chimaera phantasma
75cm

キメラだけでは言い足りなかったのかギンザメは種小名にも幻影、亡霊（phantom）と付けられています。顔面のひび割れは側線（そくせん）と呼ばれ、水の流れを敏感に感じ取る感覚器官として重要な役目を果たしています。

ジョルダンギンザメ
Chimaera jordani
64cm

ギンザメと比べて、胴体側面まで伸びる側線に小刻みな波打ちがないという違いがあります。

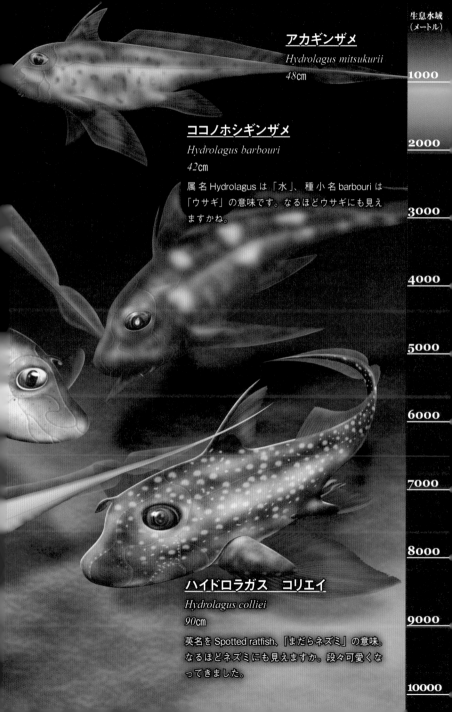

アカギンザメ
Hydrolagus mitsukurii
48cm

ココノホシギンザメ
Hydrolagus barbouri
42cm

属名 Hydrolagus は「水」、種小名 barbouri は「ウサギ」の意味です。なるほどウサギにも見えますかね。

ハイドロラガス　コリエイ
Hydrolagus colliei
90cm

英名を Spotted ratfish、『まだらネズミ』の意味。なるほどネズミにも見えますか。段々可愛くなってきました。

生息水域
(メートル)

1000

2000

3000

4000

5000

6000

7000

8000

9000

10000

ネオハリオッタ　ピンナタ

Neoharriotta pinnata

127.5cm

英名を Sicklefin（鎌）chimaera といいますが、実際の吻（ふん）はゼラチン質でやわらかいので危険なモノではありません。また Rhinochimaera 属は尻ビレがないのに対し Neohariotta 属には尻ビレがあるというはっきりした違いもあります。

【ギンザメ目】
テングギンザメ科

へらのような吻（ふん）が特徴のギンザメ目テングギンザメ科です。テングギンザメ科はオスメスでも外見が異なり、吻（ふん）の形状がオスの場合、目の付近から先端に向かって一様に細くなるのに対し、メスは根元から3分の1までは同じ幅でそれより前方にかけて急に細くなるという特徴があります。

ギンザメ目全般にいえることですが、泳ぐ時は胸ビレを羽ばたかせて飛ぶように泳ぎます。

いわゆるサメはそのような泳ぎ方はしません。ここに登場したテングギンザメ科もギンザメ科も「サメ」が付きますが分類上はサメは板鰓亜綱（ばんさいあこう）というカテゴリーに属すのに対し、テングギンザメやギンザメは全頭亜綱（ぜんとうあこう）に属します。太古の昔に枝分かれしたかなり縁遠い存在なのです。かつては全頭亜綱も繁栄した時代がありましたが現在はギンザメ目だけになってしまいました。

板鰓亜綱と全頭亜綱の違いは、前者には通常5対のエラ孔とウロコがあるのに対し全頭亜綱のエラ孔は1対のみ、ウロコや噴水孔もありません。全頭亜綱は第1背ビレを倒すことができるといった違いもあります。

テングギンザメ科には、テングギンザメ属（Rhinochimaera）、Neoharriotta属、アズマギンザメ属（Harriotta）が属します。

テングギンザメ属の属名のRhinochimaeraは「鼻」＋「キメラ」の意味です。Rhinochimaera属は全世界に分布しますがここに紹介したR.africanaとR.pacificaに加え、R.atlantica（ニシテングギンザメ）などが知られ、それぞれアフリカ、太平洋、大西洋と種小名に地域性が見られます。尾ビレの背中側の縁に小さい棘があってその数が違うという細かい差があります。

1000

2000

テングギンザメ
Rhinochimaera pacifica
130㎝

3000

4000

クロテングギンザメ
Rhinochimaera africana
110㎝

5000

6000

7000

アズマギンザメ
Harriotta chaetirhampha
80㎝

8000

尾ビレ上葉（じょうよう）にはテング
ギンザメ属にはある背中側の小さな棘
状（きょくじょう）突起がなく滑らか
で、後端は糸状に伸びます。

9000

10000

【ギンザメ目】
ゾウギンザメ科

天狗の次は象です。英名もそのままずばり Elephant fish。ギンザメ目ではさらに珍しく日本近海にはいません。オーストラリアおよびニュージーランド付近にだけ棲息しています。

特徴的なこの鼻先の鍬（くわ）で海底の泥をすくい上げて埋もれている貝や甲殻類を掘り出し、捕食しています。どうやって貝や甲殻類を見つけるかといいますと、人間を含め生き物は体内から微弱な電流を発しています。生体電流といいます。サメを中心とした軟骨魚類はこの電流を感じ取る特殊な器官（ロレンチーニ瓶）を鼻先に備えていて、小さな生物の出す超微弱な電気の乱れをキャッチして確実に捕らえることができるのです。

浅場に浮上して卵を産みます。腹ビレ付近に２つの卵塊をぶら下げてから海底に産み落とし、半年から８ヵ月かけて孵化が始まります。独特な形をしているので知らないとゾウギンザメの卵だとは気がつきません。

近年の研究でこのゾウギンザメは進化速度が極めて遅いことが分かりました。米ワシントン大学がこの１種である C.milii を調べたところ、ゲノムの進化があのシーラカンスよりもゆったりしていて何億年もDNAが変わっていない生きた化石と判明したそうです。そんな進化の生き証人であるゾウギンザメですが、現地ではフィッシングや食用の対象になっています。最近は日本の一部の水族館でも見られるようになりました。

生息水域
（メートル）

1000

2000

3000

4000

5000

6000

7000

8000

9000

10000

ゾウギンザメ

Callorhinchus callorynchus
100cm

カロリンカス　カペンシス

Callorhinchus capensis
75cm

ラブカ
Chlamydoselachus anguineus
200cm

クラミドセラカス　アフリカーナ
Chlamydoselachus africana
117cm

【カグラザメ目】
ラブカ科

数多くのサメの中でも風変わりなグループが
カグラザメ目でしょう。6種類程度しか知ら
れていません。

エラ孔は6〜7対と他のサメより多く、背ビ
レは1基、原始的な特徴を持つサメとされて
います。代表的なのがラブカ科のラブカです。

種小名 anguineus は「蛇のような」。むしろウ
ナギのような体型をしています。生きたまま
尻尾を持ち上げると頭をひねって噛みついて
くるそうです。

英名は Frilled shark、6対のエラは一番前がお
腹側で左右がつながり、首全周が赤いフリル
のように見えます。

妊娠期間は3年半に及びギネスブックにも掲
載されました。片側の子宮だけ発達し、子ザ
メを2〜12匹生みます。

口が頭の前の方に開き、三叉（みつまた）の
歯を持ちます。歯の3つの突起の間、根元に
小さな棘があり列に並んでいます。クラドー
ダス型と呼ばれ祖先的な特徴を示しています。

ミトコンドリア DNA の研究でラブカが元のサ
メから分岐したのは 8,000 万年前より後のこ
とだとわかっています。なのでラブカは見た
目「生きた化石」ですが、中身は現代のサメ
という考えが主流になっています。

ラブカ科は1属2種。2009年に南アフリカ
で新種クラミドセラカス　アフリカーナが発
見されました。上顎歯列の数、頭部の全長に
占める割合、腸内の形状、などが異なります。

脊椎骨数 160〜170（ラブカは 147）、腸の
螺旋（らせん）弁数 35〜49（同 26〜28）、
頭部は長く鰓裂（さいれつ）は短いといった

違いがあります。

エドアブラザメ
Heptranchias perlo
*140*cm

属名 Heptranchias は「7 対 の エ ラ」。英 名 も Sharpnose sevengill shark。エラ孔が 7 対もあるのは、あとエビスザメ（*Notorynchus cepedianus*）だけが知られています。胎生で 20 匹ほどの子ザメを生みます。口角が上がっていて笑っているように見えますが見た目ほど親しみ深くはありません。

シロカグラ
Hexanchus nakamurai
*180*cm

カグラザメ
Hexanchus griseus
*500*cm

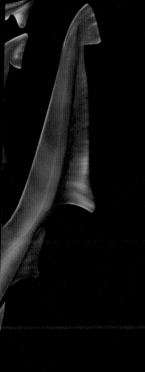

【カグラザメ目】
カグラザメ科

3種ともカグラザメ目カグラザメ科に属します。エドアブラザメとシロカグラは数100mから1,000mの深さに、カグラザメは2,500mからも得られています。

カグラザメの仲間でもエドアブラザメはエドアブラザメ属でエラ孔が7対と特に多くなっています。シロカグラとカグラザメは6対のエラ孔から「6つの首」を意味するカグラザメ属に属し、下顎に櫛状の大きな歯が1列に5個並ぶシロカグラと6個のカグラザメで区別できます。

現在カグラザメ属は、かつてシロカグラと同種とされながらその後の2018年に分子データによる研究で別種とされたAtlantic sixgill shark（H.vitulus）を加えて3種が知られています。胎生で子ザメを生みます。

さてサメには卵を生む種類（卵生）もいます。何がどう違うのでしょうか。比率は卵生が3〜4割、胎生が残りの6〜7割を占めます。卵生はネコザメ目、テンジクザメ目などが該当します。胎生の方はさらに卵黄依存型と母体依存型に分類できます。前者は母体内で自分の卵黄だけで成長するタイプ。カグラザメ目、キクザメ目、ツノザメ目、ノコギリザメ目、カスザメ目、テンジクザメ目の一部がいます。後者は母体からも栄養補給を受けるタイプ。ネズミザメ目やテンジクザメ目の一部に見られます。そしてサメ類の最大集団、メジロザメ目は以上すべての生殖方法が見てとれますが、割合は圧倒的に胎生型だそうです。

1000
2000
3000
4000
5000
6000
7000
8000
9000

トラザメ科

すべてメジロザメ目トラザメ科ヘラザメ属に属します。

ヘラザメ類というのはかつて新種の登録ラッシュが相次いだこと
もあり、混乱していて分類が難しく正確な種類数が確定していな
いそうです。今は主に吻の長さや唇褶(しんしゅう＝口角のしわ)、
腸の螺旋(らせん)弁の数などの形態から分けられています。

全体的な特徴としては体が柔軟で基底の長い尻ビレがあり、第1背
ビレは腹ビレの真上かやや後方にあることが挙げられます。大き
さはせいぜい1mくらいで世界中の深海から知られています。英名
は Demon catshark、お腹側から見ると悪魔っぽい顔つきかも。

そんな中で理解に苦しむのがテングヘラザメです。オスメス両方
の生殖器を併せ持つ不思議なサメです。メスには卵巣と輸卵管に
加え小さいながらも交接器があり、一方オスの方は立派な交接器
と精巣に加えて輸卵管などメスの特徴を備えています。当初奇形
かと思われたらしいですが、どうやらこういうサメらしい。他のヘ
ラザメでは見られず軟骨魚類唯一の雌雄同体種とのことです。

ヘラザメ

Apristurus platyrhynchus
75cm

種 小 名 platyrhynchus は
「扁平な嘴」の意。

テングヘラザメ

Apristurus longicephalus
60cm

種小名 longicephalus は「長
い頭」の意。

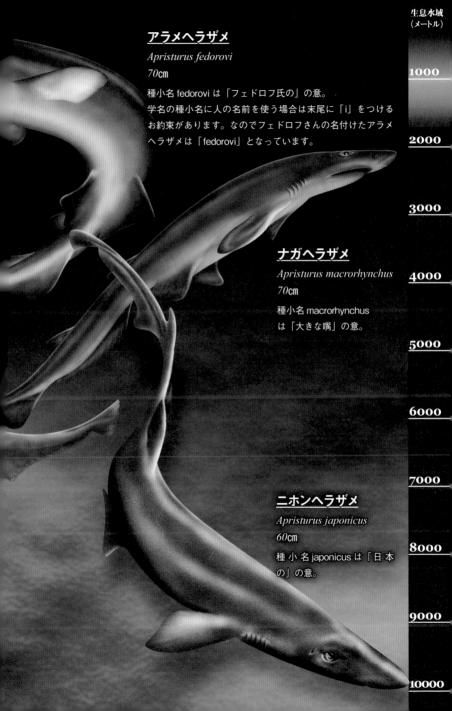

アラメヘラザメ

Apristurus fedorovi

70㎝

種小名 fedorovi は「フェドロフ氏の」の意。
学名の種小名に人の名前を使う場合は末尾に「i」をつける
お約束があります。なのでフェドロフさんの名付けたアラメ
ヘラザメは「fedorovi」となっています。

ナガヘラザメ

Apristurus macrorhynchus

70㎝

種小名 macrorhynchus
は「大きな嘴」の意。

ニホンヘラザメ

Apristurus japonicus

60㎝

種小名 japonicus は「日本
の」の意。

生息水域
（メートル）

1000

2000

3000

4000

5000

6000

7000

8000

9000

10000

【ネズミザメ目】
ミズワニ科、オオワニザメ科、ミツクリザメ科

すべてネズミザメ目に属します。背ビレが2基、尻ビレがあってエラ孔が5対といった特徴を持ちます。

余談ですが、サメ類はウキブクロを持たないので深海ザメは大きな肝臓の浮力を利用しています。一方、シロワニ科のシロワニ（*Carcharias taurus*）という種類は浮力調整方法が変わっていて、水面で胃袋に空気を吸い込むことで中性浮力を得ています。水族館で見られることもあるので観察してみてください。

ミツクリザメ
Mitsukurina owstoni
330cm

この突き出た吻（ふん）から他のサメと見間違えることはありません。体色も他のサメと違って明るめの灰色をしています。

狩りをする時は敏捷で、マジックハンドの原理で上顎と下顎を瞬時に突き出すことができます。英名は Goblin shark、ゴブリンはヨーロッパの民間に伝承される醜く邪悪な伝説上の小人です。一方、学名の方は属名（箕作佳吉・みつくりかきち）も種小名（Owston）も人名が由来となっています。中生代白亜紀に祖先のスカパノリンカス（*Scapanorhynchus*）が棲息していましたが現代では1属1種のみとなりました。

ミズワニ

Pseudocarcharias kamoharai

*120*cm

ミズワニ科のミズワニは1属1種、眼が大きくて細長い体型をしています。他と比べてもあまり大きくはなりません。

ビッグアイサンドタイガー

Odontaspis noronhai

*370*cm

暖かい海域の深海に棲息しています。非常に珍しいサメです。

オオワニザメ

Odontaspis ferox

*450*cm

ミツクリザメと同様に歯並びが悪いサメです。1本の歯の横に副咬頭（ふくこうとう）と呼ばれる小さな突起があります。これが種類を同定する時に役立ちます。オオワニザメは2〜3対、ビッグアイサンドタイガーは1対になっています。
オオワニザメの種小名 ferox は「凶暴な」という意味ですが実際は穏やかな性格です。見た目で判断してはいけません。

生息水域
（メートル）

1000

2000

3000

4000

5000

6000

7000

8000

9000

10000

オンデンザメ

Somniosus pacificus
700㎝

英名は Pacific sleeper shark。駿河湾にも棲息してい
ます。

カエルザメ

Somniosus longus
150㎝

カエルザメ（Frog shark）はオンデンザメと同属です
が、体格は小ぶりです。採取記録が極端に少ないため
非常に稀少なサメです。尾ビレの下側、下葉（かよう）
と呼ばれる部分が大きくウチワ状になっています。尾
ビレ根元の両サイドに隆起した線があります。種小名
longus は「長い」。

ニシオンデンザメ

Somniosus microcephalus
730㎝

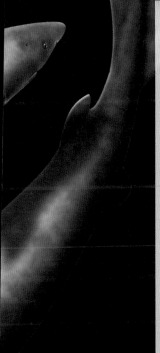

【ツノザメ目】
オンデンザメ科

ツノザメ目では最大になるオンデンザメ科オンデンザメ属、全長は数m、大きいものは7mを優に超えます。

属名の「眠たい（Somniosus）」を体現するかのように遊泳速度はわずか時速0.8km、1秒間に約20cmと非常にのろいです。これは魚類最速といわれるホホジロザメの平均時速8kmの1/10。しかし食には貪欲で、北大西洋に棲むニシオンデンザメの胃袋からはアザラシが出てきたこともあります。

そして何と言っても驚くべきはその長寿命。今までツノザメの場合、背ビレの棘の輪紋（りんもん）から年齢を推定していましたが、どうしても正確性を欠いていました。

しかし新たに放射性炭素年代測定法が導入され、ニシオンデンザメ（Greenland shark）の眼球のタンパク質に含まれる放射性炭素を測定したところ、なんと400年近く生きていることが判明しました。脊椎動物の中で圧倒的に1位の記録です。成熟するのにも150年、気が遠くなるスローライフです。

彼らの多くは眼球に寄生性のカイアシ（*Ommatokoita elongata*・P259）をぶら下げているので目はほとんど見えていないと思われます。

オロシザメ科

ツノザメ目オロシザメ科オロシザメ属です。三角形のパーツを寄せ集めたらこんな体形になるでしょうか。各ヒレはことごとく三角、背中が盛り上がっているので横からみた体のシルエットも三角、ついでに胴体の断面も三角形です。さらについでに下の歯も幅の広い三角形です。属名も「尖った背中（Oxynotus）」。

吻端はイノシシのような鼻孔の鼻の下にやや小さめの肉厚な唇が付いています。この体形からあまり俊敏に行動するタイプではなさそうです。大きな肝臓を備え、大量の肝油で浮力を得るため、海底付近をホバリングしながら無脊椎動物や甲殻類、魚類を探索、捕食していると考えられています。サメに対するスマートな先入観は裏切られますね。

オロシザメ

Oxynotus japonicus

54cm

オロシザメは日本の展示標本から発見されました。名前の由来は大根おろし。ウロコがまるで燃え盛る火炎のようにザラザラトゲトゲしていたのに加え、顔がタヌキに見えたので当初はオロシタヌキとかダイコンオロシザメが和名の候補に挙がっていたそうです。捕獲数の少ない稀少なサメです。

生息水域
（メートル）

ミナミオロシザメ

Oxynotus bruniensis

72㎝

オーストラリア南部からニュージーランド
にかけての南半球の深さ 350 ～ 650m を中
心に棲息しています。底引き網漁でたまに
混獲されるようですが、ほとんど商業価値
はありません。英名は Prickly（棘だらけの）
dogfish。卵黄依存型の胎生で 7 匹程度を産
み落とすようです。

1000

2000

3000

4000

オキシノタス　ケントリナ

5000

Oxynotus centrina

150㎝

地中海を含む北東大西洋の海底近
く 50 ～ 660m 付近を泳いでいま
す。英名は Angular roughshark。
角張ってザラザラしたサメという
意味です。

6000

7000

8000

9000

10000

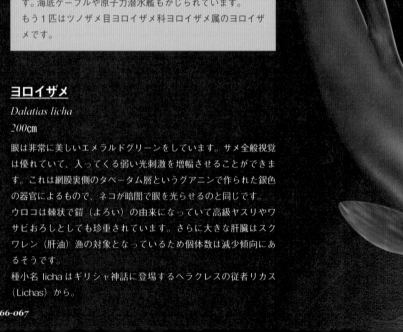

ヨロイザメ科

ツノザメ目ヨロイザメ科ダルマザメ属のダルマザメとコヒレダルマザメは葉巻形をした小型のサメでクッキーカッターシャーク（Cookiecutter shark）、あるいはシガーシャーク（Cigar shark）と呼ばれています。ダルマザメの首回りには黒褐色の横帯がマフラーのようについています。さらにお腹は緑色に発光します。

食事の仕方が独特で、自分よりはるかに大きな魚に突進し、まず食らいつきます。唇は吸盤状なので吸い込めば真空になって振り切られることはありません。上の歯は針状になっているのでこれを軽く突き刺します。これがコンパスの中心の役目をします。下の歯はノコギリ状なのでこちらはナイフの役割を果たします。上顎を中心にクルンと体をひねると相手の身が丸くくり抜かれます。相手の体にはスプーンでえぐった痕がつきますが、致命傷にはなりません。段々キズ口が塞がってきます。狙われるのはマグロやクジラなどかなり遊泳力のある生き物なので相当素早い動きをしていると想像できます。海底ケーブルや原子力潜水艦もかじられています。

もう1匹はツノザメ目ヨロイザメ科ヨロイザメ属のヨロイザメです。

ヨロイザメ

Dalatias licha

200㎝

眼は非常に美しいエメラルドグリーンをしています。サメ全般視覚は優れていて、入ってくる弱い光刺激を増幅させることができます。これは網膜裏側のタペータム層というグアニンで作られた銀色の器官によるもので、ネコが暗闇で眼を光らせるのと同じです。

ウロコは棘状で鎧（よろい）の由来になっていて高級ヤスリやワサビおろしとしても珍重されています。さらに大きな肝臓はスクワレン（肝油）漁の対象となっているため個体数は減少傾向にあるそうです。

種小名 licha はギリシャ神話に登場するヘラクレスの従者リカス（Lichas）から。

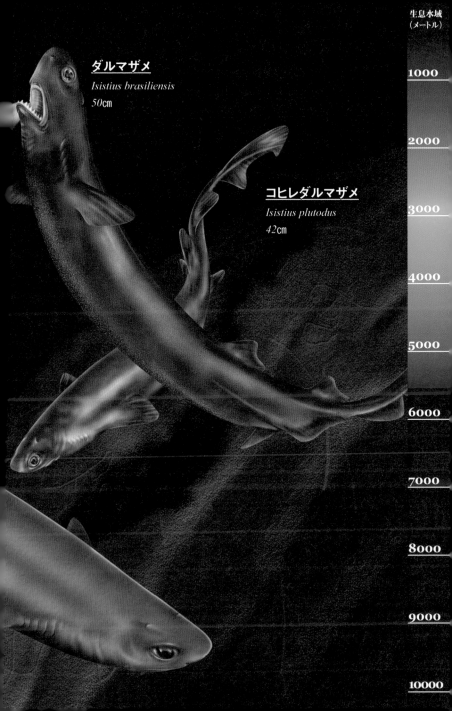

生息水域
（メートル）

ダルマザメ
Isistius brasiliensis
50cm

コヒレダルマザメ
Isistius plutodus
42cm

1000

2000

3000

4000

5000

6000

7000

8000

9000

10000

ツラナガコビトザメ

Squaliolus aliae

22cm

おもなが（面長）ではなく、つらなが（面長）、
体長の３分の１を頭長が占めています。どこ
までを頭長というかですが、サメの場合は吻端
（ふんたん）から一番後ろのエラ孔までの長さを
いいます。３頭身なのです。

オオメコビトザメ

Squaliolus laticaudus

26cm

英名は Spined pygmy shark。

オキコビトザメ

Euprotomicrus bispinatus

27cm

頭でっかちで後方にいくにしたがって細く
なる体形。この種も昼間は 1,500m まで潜
り、夜間に表層まで浮上する日周鉛直移動
をします。お腹の発光は下から見られた時
の影を消すカウンターイルミネーションの
役目をします。

アカリコビトザメ

Euprotomicroides zantedeschia

41.6cm

南米の大西洋側とアフリカ南端の大西洋側で知られています。この２地域には意味があ
るのでしょうか。大昔、南米とアフリカ大陸はつながっていた時代がありますよね。そ
の頃から棲息していたとしたら大陸移動とともに生き別れたのかもしれません。採取個
体数が極めて少ないのでこんな勝手な想像もしてしまいます。英名は Taillight shark。

生息水域
（メートル）

1000

2000

3000

4000

5000

6000

7000

8000

9000

10000

【ツノザメ目】
ヨロイザメ科

すべて小型のサメたちです。

ツラナガコビトザメとオオメコビトザメが属すツ
ノザメ目ヨロイザメ科ツラナガコビトザメ属は第
1背ビレだけに棘があって、お腹が青緑色に発光
する特徴を持ちます。2種とも小さいサメのグル
ープの中で、際立って小型のサメです。日周鉛直
移動をします。

オキコビトザメも腹部に発光器を持っています。
光るだけでは飽き足らないサメもいます。アカリ
コビトザメは発光するだけでなく腹面に青い生物
発光液を放出する袋状の器官を持っています。放
出する発光液の用途はよく分かっていません。

最後にフクロザメの場合はお腹ではなく胸ビレの
ちょっと上にスリット状の袋器官を持っています。
何らかの分泌液を出すようですが、何のためなの
かこちらもよく分かっていません。またお腹にま
だら模様があります。

フクロザメ

Mollisquama parini

*43*cm

ナスカ海嶺（330 m）とメキシコ湾（580 m）
から知られていてめったに見つからない稀少種
です。英名はそのまま Pocket shark。

イトヒキエイ

Anacanthobatis borneensis

38㎝

630 〜 1,100m 付近に棲息しています。イ
トヒキエイは鼻先のチョビヒゲが特徴です。
ウロコはありません。属名は「棘のないガ
ンギエイ（Anacanthobatis）」、種小名（
borneensis）は産地のボルネオからの命名
です。体は薄くてぺらっぺらです。

マツバラエイ

Bathyraja matsubarai

100㎝

マツバラエイの眼も大きく噴出孔と
同じくらいの直径があります。背面
は一様に赤褐色または暗い紫色、120
〜 2,000m にまで分布します。英名は
その色味から Dusky（黒味がかった）
purple skate。

スベスベカスベ

Bathyraja minispinosa

80㎝

ウロコがほとんど目立ちません。文字通り
すべすべしています。眼の内側が白く、150
〜 1,420m の深さから得られています。

ソコガンギエイ

Bathyraja bergi

95㎝

お腹は白っぽく、腹面のウロコは吻端
だけに分布しています。生息深度は
100 〜 1,800m。

【ガンギエイ目】
ガンギエイ科

ガンギエイ目ガンギエイ科は４隅にツル状の突起が付いた卵殻を生みます。また感覚器官であるロレンチーニ瓶が体盤腹面の一面に分布しているので海底すれすれを泳いでいるのは微弱な生物電流を逃すまじと探索に集中している姿なのです。海底に表在や埋在している甲殻類を食べています。さらに防御も怠りません。尾部に微弱電流を発する発電器官を持ちます。この中ではイトヒキエイのみがホコカスベ属に属し、残りの６種はソコガンギエイ属に属します。ソコガンギエイ属の属名は「深い（＝bathys）メガネカスベ（raja）」の意味です。

チヒロカスベ
Bathyraja abyssicola
140㎝

362〜2,906mの深さからの記録があり、エイの仲間としては最深級です。大きめの眼を持ち、尾の付け根に細く長く伸びているのは交接器です。背中側、お腹側両面とも褐色で腹面にもウロコが密生しています。種小名は「深淵の（abyssicola）」。

ノトロカスベ
Bathyraja notoroensis
100㎝

600m付近の海底に棲息、比較的大きな眼を持っています。

ツムラカスベ
Bathyraja caeluronigricans
120㎝

眼は小さめで300m辺りの海底にいます。

1000
2000
3000
4000
5000
6000
7000
8000
9000
10000

【ヌタウナギ目】
ヌタウナギ科

魚類は顎の有無で無顎上綱（むがくじょうこう）と顎口上綱（がっこうじょうこう）に分けられます。両者の違いは、口が左右に開閉するのが無顎類、上下に開閉するのが顎口類です。発生が早かったのは無顎類で、知られている中では5億2000万年前のカンブリア紀に生きていた3cmほどのミロクンミンギア（*Myllokunmingia fengjiaoa*）まで遡ります。

しかし古生代に最盛期を迎えた無顎類はヌタウナギ目とヤツメウナギ目を除いてデボン紀の終わりには絶滅してしまいました。その後は顎のある顎口類が幅をきかせることになります。

ちなみにヌタウナギ類の吻端（ふんたん）に開いている穴は外鼻孔（がいびこう）で、口はもうちょっとお腹側にあります。嗅覚がすぐれています。無顎類は胸ビレや腹ビレ、鰭条（きじょう）もウロコも眼球も鰓蓋（えらぶた）もありません。ひょろ長い体型を生かして結節行動（ノッティング）で食らいついた死肉を引きちぎったり捕食者から逃れたりします。

武器は大量のヌタ。敵のエラをふさいでしまったりスルリと抜けたりして身を守っています。ヌタは放出直後は白い液体でさらさらしていますが海水を含むと数100倍に膨らんで、固まると石鹸でも取れない厄介モノです。Myxine 属は Eptatretus 属よりほっそりしていて Eptatretus 属に認められる眼点も側線の名残もありません。

ホソヌタウナギ

Myxine garmani

50cm

口から入った水を排出する鰓孔（さいこう）は1対。属名 Myxine は「ねばねばした魚」という意味です。

ヌタウナギ

Eptatretus burgeri

60cm

鰓孔が6対、属名の「7つの穴（Eptatretus）」は退化した眼も数えたのかもしれません。英名の Hagfish はなぜか鬼婆の意味を持ちます。

ムラサキヌタウナギ

Eptatretus okinoseanus

80㎝

鰓孔は 8 対です。

クロヌタウナギ

Eptatretus atami

50㎝

鰓孔は 7 対。種小名 atami
はタイプ産地が真鶴沖で熱
海が近かったことから命名
されました。

ニシメクラウナギ

Myxine glutinosa

80㎝

生息水域
（メートル）

1000

2000

3000

4000

5000

6000

7000

8000

9000

10000

モノグナサス　ボールケイ

Monognathus boehlkei

7㎝

5,000 mを超える深さから知られています。

オザワタンガクウナギ

Monognathus ozawai

6.5㎝

日本近海では南西諸島の2,000 m
から得られています。

【ウナギ目】
タンガクウナギ科

ウナギ目タンガクウナギ科タンガクウナギ属のタンガク
ウナギは、属名に「単一の顎（Monognathus）」とある
ように顎の骨が1つ、下顎しかありません。タンガクは
「単顎」のことです。英名も Onejaw gulper。

上顎に牙がちゃんとあるじゃないか、と突っ込みをいれ
たくなりますが見えているのはいわゆる歯ではなく、頭
の前の方の骨が変形して折れた釘のように曲がっていて
それが牙のように見えるものです。これが口の中に突き
出していることから、獲物を突き刺しているのではない
かといわれています。少々の大きさの甲殻類なら丸呑み
にします。

タンガクウナギ科は15種類くらいが知られていて、大
きさも小指ほど。一見よわよわしく見せかけています
が実は毒蛇なんですね。深海魚らしく眼は非常に小さ
くて退化しています。お腹が袋状に出っ張っていてそ
こに胃袋が収まっています。鰭条（きじょう）のない膜
だけの胸鰭が申し訳程度に付いています。

タンガクウナギ科はかつてはフウセンウナギ科やフクロ
ウナギ科、ヤバネウナギ科といった個性派役者が集まっ
てフウセンウナギ目という一大グループを構成していま
したが、最近の分子系統解析ではこの4つのグループは
ウナギ目にくくられているようです。

1000

2000

3000

4000

5000

6000

7000

8000

9000

10000

ホラアナゴ科

ウナギ目アナゴ亜目ホラアナゴ科は普段私たちが口にするアナゴ亜目アナゴ科のマアナゴ（*Conger myriaster*）とは違って主に深海底を生活の場としています。とは言ってもイラコアナゴなどはマアナゴの代用として蒲焼や天ぷら、煮付けとしても食されています。
種類によりウロコの特徴が色々あります。
ウナギとの違いで一番わかりやすいのは口でしょうか。アナゴは上顎の方が長いのに対し、ウナギは下顎の方が長いいわゆる受け口です。

コンゴウアナゴ

Simenchelys parasitica
61㎝

1属1種のアナゴ。眼がくりんとしていて属名も「鼻の低いウナギ（Simenchelys）」でスリット状のおちょぼ口に愛嬌さえ感じますが、いえいえこの魚はすこぶる獰猛です。サメなどのエラ孔や総排出孔から集団で潜り込んで内臓を貪り食ってしまいます。当然宿主は生きていられません。種小名のParasiticalは「寄生」の意味ですが寄生なんて生易しいものではないのです。エイリアンなのです。死んで海底に沈んだクジラにも寄ってたかるので典型的な腐肉食でもあります。

イラコアナゴ

Synaphobranchus kaupii
80㎝

ウロコは皮下に埋没していて細長く、タテヨコにチェッカープレート（縞鋼板・しまこうはん）のように並んでいます。

生息水域
（メートル）

ソコアナゴ
Histiobranchus bathybius
*80*cm

細長いウロコを持っています。

1000

2000

モトソデアナゴ
Synaphobranchus brevidorsalis
*70*cm

3000

4000

ソデアナゴ
Synaphobranchus sp.
*63*cm

ウロコは円形でホラアナゴ属の中
では最大の大きさです。

5000

6000

7000

8000

ホラアナゴ
Synaphobranchus affinis
*60*cm

楕円形の小さいウロコが並んでい
ます。

9000

10000

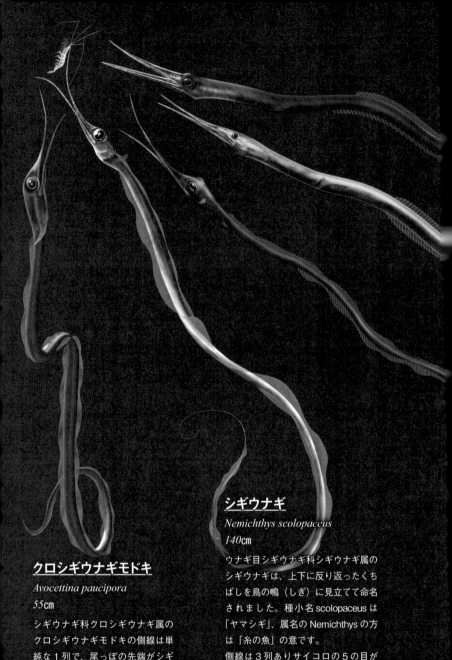

シギウナギ

Nemichthys scolopaceus
140㎝

ウナギ目シギウナギ科シギウナギ属の
シギウナギは、上下に反り返ったくち
ばしを鳥の鴫（しぎ）に見立てて命名
されました。種小名 scolopaceus は
「ヤマシギ」、属名の Nemichthys の方
は「糸の魚」の意です。

側線は３列ありサイコロの５の目が
並んでいるように連なっています。

クロシギウナギモドキ

Avocettina paucipora
55㎝

シギウナギ科クロシギウナギ属の
クロシギウナギモドキの側線は単
純な１列で、尾っぽの先端がシギ
ウナギほど糸状になっていません。

ノコバウナギ

Serrivomer lanceolatoides

63㎝

ノコバウナギ科ノコバウナギ属のノコバウナギはシギウナギよりももう少ししっかりした口を持っています。長く尖っていて歯はヤスリ状。名前のノコバはこのヤスリ状の歯ではありません。口の中、上顎の中心線上に鋤骨歯（じょこつし）というのがあって、ノコバウナギの場合はこれがノコギリ状に2列生えているところからの命名です。

ヒメノコバウナギ

Stemonidium hypomelas

38㎝

ノコバウナギ科ヒメノコバウナギ属のヒメノコバウナギの場合は歯が小さくて絨毛（じゅうもう）状に生えているそうです。外からじゃ分かりませんね。

生息水域
（メートル）

1000

2000

3000

4000

5000

6000

7000

8000

9000

10000

【ウナギ目】
シギウナギ科、ノコバウナギ科

いずれも水深数100mから2,000mまで棲息していますが、クロシギウナギは4,500mを超える深さからも得られています。

シギウナギ科の姿ですが、こんな口でどうやってエサを捕食しているのかというと、どうやらエサ生物であるサクラエビ（*Lucensosergia lucens*、*Sergia lucens*）の触覚を利用しているようです。長いくちばしで巧みに搦めとって喉に流し込みます。喉の奥で引っかからない様に必ず尾の方から飲み込むので行儀よく整列している状態が外から透けて見えます。また長いくちばしはメスだけで、オスは成熟するにしたがい短くなります。肛門はかなり前側にあって胸ビレのほぼ真下、なので長い胴体のほとんどが尾部ということになりますね。

クロシギウナギ

Avocettina infans

75㎝

クロシギウナギモドキと同じシギウナギ科クロシギウナギ属で、こちらも側線は単純な1列。尾っぽの先端もシギウナギほど糸状になっていません。

【ハダカイワシ目】
ハダカイワシ科

すべてハダカイワシ目ハダカイワシ科ススキハダカ属に属します。属名 Myctophum は正面から見た時の顔が似ていることから「蛇（ophis）の鼻（mykter）」が由来。ススキハダカ属にはウロコが円鱗（えんりん）のものと櫛鱗（しつりん）のものの2種類がいます。前者は剥がれやすいタイプでススキハダカ以外ではヒカリハダカ（*Dasyscopelus aurolaternatum*）などがいます。後者は剥がれにくくアラハダカとウスハダカ以外ではイバラハダカ（*Dasyscopelus spinosum*）などがいます。

1つだけ発光器の並びで種を判別してみましょう。アラハダカとウスハダカの違いはどこか、です。腹ビレと尻ビレの間、側線に向かって上下に3つ発光器が並んでいます。オリオン座の三ツ星みたいなところですね。これは肛門上発光器（SAO）といいます。これが「く」の字に曲がっていたらアラハダカ、直線に並んでいたらウスハダカです。わずかな違いなんですね。

以前は属名が Myctophum とされていましたが、近年の分子系統解析で多系統群とされ、Dasyscopelus に変更されました。

ヒサハダカ
Dasyscopelus obtusirostris
9cm
英名は Bluntsnout（鈍い吻）lanternfish。

ダシィスコペラス　パンクタタム
Dasyscopelus punctatum
11cm
英名を Spotted lanternfish といい、北大西洋でポピュラーな種類です。

生息水域
（メートル）

1000

2000

3000

4000

5000

6000

7000

8000

9000

10000

アラハダカ

Dasyscopelus asper

7cm

種小名asperは「粗い」、英名は
Prickly（棘のある）lanternfishです。
櫛鱗をいったものでしょう。仔魚の時
代は、初めの頃は吻が尖っています。
仔魚の後期に丸みを帯びて大人の姿に
近づきます。お腹の発光器も体長10㎜
を超えた辺りから発現し始めます。

ススキハダカ

Dasyscopelus nitidulum

7.5cm

種小名nitidulumは「やや肥え
た」、英名はPearly（真珠のような）
lanternfish。この種は外形からオスメス
を判別することができます。尾ビレの
根元、尾柄部（びへいぶ）の上、背中
側に発光腺を持つのがオス、下のお腹
側に持つのがメスです。イラストはオ
スですね。

ウスハダカ

Dasyscopelus orientalis

7cm

ウスハダカとヒサハダカは昼間数
100m、夜間表層に上がってくる日周鉛
直移動をします。ウスハダカの英名は
Oriental lanternfish。

ムツトゲソコギス

Notacanthus sexspinis
60cm

タヌキソコギス

Lipogenys gillii
40cm

口は半月状で歯がありま
せん。泥中のエサ生物を
見つけたらすばやく吸い
込んでしまいます。

トカゲギス

Aldrovandia affinis
55cm

英名 Rat-tailed lizardfish、
ネズミの尻尾を持ったト
カゲ。

クロオビトカゲギス

Halosauropsis macrochir
71cm

お腹付近の側線が真っ黒になっています。

ソコギス

Polyacanthonotus challengeri
52cm

ソコギス亜目

すべてソコギス亜目です。共通した特徴は長い胴体を持ち尾部にいくにしたがって細くなっていること。

頭を海底近くに寄せて尾っぽをゆらゆらと揺らしてうまくバランスを取りながら前後左右に進んでいます。胸ビレはカナード翼のように上方向に向け、スタビライザー（水平安定器）として姿勢を保っています。そしてこの姿勢で鼻先をスコップ替わりに泥中の甲殻類やゴカイ、貝などをほじくり出しています。

もう1つの特徴としてトカゲギスの仲間は仔魚の大きさが半端ではないことが挙げられます。一般にカライワシ上目というグループは特別な葉形仔魚（Leptocephalus　レプトケファルス）という世代を通過します。そんな中でトカゲギス科の仔魚の体長はなんと親よりも長いのです。親が何の種類か分からなかった時代は、この子が成長したら一体どんな怪物になるのかと思ったことでしょう。未確認生物（UMA）だったりシーサーペントや絶滅した魚竜を想像するのはそれはそれでロマンだったかもしれません。

属名に「背中の棘（Notacanthus）」という名を持つのがクロソコギス、キツネソコギス、ムツトゲソコギス、といったソコギス科の面々です。背ビレに膜がありません。棘は多い時は15本並びます。ちなみにムツトゲソコギスは実際は棘が7本あります。さらにたくさんの棘を持つ種類がソコギス。属名にも「polys多い」＋「背中の棘」と付いてて20本以上あります。

クロソコギス
Notacanthus chemnitzii
58㎝

キツネソコギス
Notacanthus abbotti
20㎝

1000

2000

3000

4000

5000

6000

7000

8000

9000

10000

ギンソコイワシ

Dolicholagus longirostris

19㎝

大きな眼に小さな口、背中が薄い茶色でお腹側が銀白色に輝きます。剥がれやすいウロコで主に暖かい海に分布します。子供時代に目玉が左右に突き出している特徴があります。

ネッタイソコイワシ

Melanolagus bericoides

20㎝

ギンソコイワシに似ていますが
色が黒っぽいこと、体の表面に
不規則な網目模様のあることが
違いです。

ダナニギス

Xenophthalmichthys danae

10㎝

ミクロストマ科（ソコイワシ科に分類されることも）ですが姿は別格で、胴体は異常に細長く何といってもこの望遠眼が目立っています。前方を向いているのでちゃんと遠近感を捉えていると想像できます。1属1種です。ちなみに種小名はギリシャ神話アルゴス王アクリシオスの娘 danae から。

生息水域
（メートル）

1000

2000

【ニギス目】
ソコイワシ科

すべてニギス目のニギス亜目ソコイワシ科に
属します。

3000

ヤセソコイワシ

Bathylagus pacificus
20cm

細い体の持ち主です。ヤセソコイワ
シとクロソコイワシは冷たい海を好
みます。

4000

ソコイワシ

Lipolagus ochotensis
16cm

5000

生息深度については最大6,100mと記した情報があり
ますが（Fishbase）、ここでは他と同様1,000m付近
までのトワイライトゾーンとしました。ソコイワシの
学名は「オホーツク海に生息する太ったウサギ」とい
う意味です。口と歯の形がウサギのそれと似ているこ
とからの命名です。

6000

7000

8000

クロソコイワシ

Pseudobathylagus milleri
18cm

9000

クロソコイワシはずんぐりむっくりで英名owlfish、フクロウのような大きな眼がそ
の由来です。属名は「偽の＝pseudo」＋「ヤセソコイワシ属＝bathylagus」と付い
ていますが決して偽物ではありません。自立したクロソコイワシ属の一員です。

10000

クロデメニギス

Winteria telescopa

14㎝

やや斜めを向いた管状眼を持っています。種小名 telescopa は「遠くまで見る」。直腸部に発光細菌を棲まわせていて、お腹の一部が透明になっているので直腸が光を放つと分散してお腹の正中線がボーっと光るそうです。大型のものは比較的深い 1,200m 以深に、小型のものは 500 〜 1,000m の比較的浅いところに棲息しています。

ムカシデメニギス

Bathylychnops exilis

63㎝

属名 Bathylychnops は「深い灯火の眼」、種小名 exilis は「やせた」。スマートな体型ですね。眼はいわゆる管状眼ではありませんが下向きに付いたもう 1 対の眼には水晶体が備わっているので本物の「4 つ目」です。なので明暗だけでなくシルエットも認識していると考えられています。

ヨツメニギス

Rhynchohyalus natalensis

14㎝

ヨツメニギスも真上を向いた管状眼を持ち、属名 Rhynchohyalus「ガラスの鼻」のとおり吻は半透明で出っ張っています。英名も Glasshead barreleye。こちらは肛門付近のみが光るようです。特徴は何といってもヨツメの由来となった目にあります。本来の大きな眼以外に前方下にもう 1 対、眼があります。グアニン結晶でできた反射板が幾重にも重なって鏡のようになっていて、網膜に光を集めることで視野を広げるという精巧さです。

生息水域
（メートル）

1000

2000

3000

4000

5000

6000

7000

8000

9000

10000

【ニギス目】
デメニギス科

ニギス目デメニギス科の仲間たちです。筒状の目
である「管状眼（かんじょうがん）」をもつ種が
多いですが、デメニギス科のすべてがもっている
わけではありません。

デメニギス
Macropinna microstoma
12cm

初めての記載は1939年でしたが、70年後の2009年にNational
Geographicに公開されたデメニギスの生きた水中映像は衝撃的でした。
上を向いた眼は透明なフードで保護されていたのです。フードの中はゼリ
ー状の体液で満たされているので外との圧力差はありません。陸上に揚げ
られると体液が漏れ出てぺちゃっとつぶれてしまいます。また管状眼は前
方に倒せる可動眼になっています。普段は上方の獲物のシルエットを狙っ
ていますが、クラゲなどをついばむ時は前方を向きます。発光器は持たな
いようです。属名Macropinnaは「大きなヒレ」、種小名microstomaは
「小さな口」の意です。

ドリコプテリクス　ロストラータ

Dolichopteryx rostrata

6.6cm

ドリコプテリクス　シュードロンギペス

Dolichopteryx pseudolongipes

8cm

ヒナデメニギス

Dolichopteryx minuscula

6cm

ドリコプテリクス　ロンギペス

Dolichopteryx longipes

18cm

ドリコプテロイデス　ビノクラリス

Dolichopteroides binocularis

24cm

キタヒナデメニギス

Dolichopteryx parini

22cm

デメニギス科

すべてニギス目デメニギス科ヒナデメニギス属です。細長い体型が共通しています。幼体のまま生殖巣が成熟する幼形成熟（ネオテニー）を示すことも共通点です。

各パーツでは細かいところで違いがあります。まず眼の形。ヒナデメニギス、キタヒナデメニギス、ドリコプテリクス　ロストラータの3種の眼は小袋状で伸長していません。残りの3種はいわゆる管状眼を持っています。

また小袋状の眼を持つ前者の中でも、ヒナデメニギスとドリコプテリクス　ロストラータは眼の下の方に白色組織が認められるのに対し、キタヒナデメニギスにはその組織がないといった違いがあります。ヒレの位置にも違いがありヒナデメニギスの尻ビレは背ビレよりも後方から始まります。棲息域でもヒナデメニギスはインド洋から西部太平洋の温帯から亜熱帯域に分布しているのに対し、キタヒナデメニギスはより北方、ベーリング海からオホーツク海にかけての亜寒帯域に分布していて日本では東北沖から知られています。

一方、管状眼を持つ種類、ドリコプテリクス　シュードロンギペスは今までドリコプテリクス　ロンギペスと混同されていましたが、前者に脂ビレがあるのに対し後者にはないことで区別することができます。この種は北東太平洋から知られています。ドリコプテリクス　ロンギペスは本来の眼の下にある一対の小さな眼にある鏡とレンズを使って光を集めていることが報告されています。

これらヒナデメニギスの仲間は英語で spookfish と呼ばれています。「幽霊」とか「変人」といった意味です。

いずれも数100mの中深層を遊泳していますがキタヒナデメニギスやドリコプテリクス　ロンギペスは2,000mを超える深さからも得られています。

1000
2000
3000
4000
5000
6000
7000
8000
9000

コンニャクイワシ
Alepocephalus umbriceps
63㎝

トガリコンニャクイワシ
Alepocephalus longiceps
16㎝

ホソメコンニャクイワシ
Alepocephalus bicolor
24㎝

マルコンニャクイワシ
Alepocephalus longirostris
24㎝

ハゲイワシ
Alepocephalus owstoni
40㎝

生息水域
（メートル）

1000

2000

3000

4000

5000

6000

7000

8000

9000

10000

【ニギス目】

セキトリイワシ科

体がぶにょぶにょしてるのでコンニャクイワシと呼ばれています。ここ
の7種はすべてニギス目セキトリイワシ亜目のセキトリイワシ科ハゲイ
ワシ属に属します。

ハゲイワシ属の特徴はまず主上顎骨には歯がないことです。そして胴体
にはウロコがあります。そのウロコも頭部にはありません。これがハゲ
イワシ、英名Slickhead（滑らかな頭）といわれる理由です。だから属名
もストレートに「ウロコのない頭（Alepocephalus）」となっています。
アラメコンニャクイワシやハゲイワシは3頭身、体長の3分の1が頭
です。トガリコンニャクイワシの種小名longicepsは「長い頭」。吻が
ヘラ状に突出しているので他と区別できますね。コンニャクイワシと
ホソメコンニャクイワシの種小名はそれぞれ「暗い頭（umbriceps）」
と「2色（bicolor）」。これは頭部が黒っぽいところからでしょう。上
から見た時、吻の先端が丸みを帯びているのがマルコンニャクイワ
シ、一方オキナワコンニャクイワシは尖っているので種小名も「三角形
（triangularis）」と付いています。いずれも数100mから2,000m辺り
までを遊泳する典型的な深海魚です。

アラメコンニャクイワシ
Alepocephalus australis
43cm

オキナワコンニャクイワシ
Alepocephalus triangularis
24cm

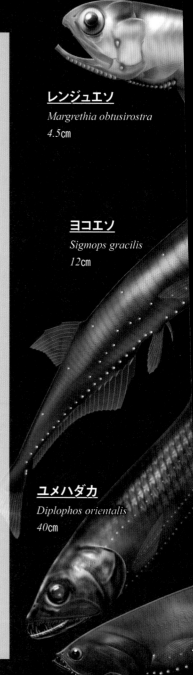

【ワニトカゲギス目】
ヨコエソ科

ワニトカゲギス目は一番深海魚らしい魚ではないでしょうか。ヨコエソ科、ムネエソ科、ギンハダカ科、ワニトカゲギス科の4科から成り400種以上が知られています。ほとんどが数100mの中深層を生活の場としていて、体の側面やお腹に発光器を備え、大きな口と立派な歯を持つ種類が多くいます。

ヨコエソ科は一旦オスとして成熟してからメスに性転換します。「雄性先熟雌雄同体」といいます。これは産卵に費やすエネルギーを得るためにまずオスとして体を作り、その後メスに転換することで産卵数を増やして種の存続の確率を高めるためと考えられています。長年の実践の中で身につけた戦略ですね。ヨコエソは生後1年間はオスで、その後メスに換わります。オオヨコエソとの違いは脂ビレがないこと、発光器がお腹だけでなく背中付近にも6個が離れて並んでいることです。ヨコエソは100～500m付近、オオヨコエソは250～1,200mの上部漸深層付近に棲息しています。両者ともヨコエソ属で属名Sigmopsは「シグマ（Σ）+顔」の意。

次のユメハダカとネッタイユメハダカはユメハダカ属に属し、お腹に2列、側線付近にも1列発光器をずらっと並べています。ネッタイユメハダカの英名はPacific portholefish。portholeというのは舷窓（げんそう）と訳されていて船や飛行機の側面にある丸い窓のことを指しています。

短い体型のレンジュエソの種小名は「鈍い嘴（くちばし）（obtusirostra)」。こちらの英名はBighead portholefish。体側面の発光器をやはり丸窓に見立てたんでしょうね。和名のレンジュは五目並べを正式な競技とした「連珠」からの発想でしょう。レンジュエソ属に属します。

ツマリヨコエソの英名はAtlantic fangjaw、fangは牙、ツマリヨコエソ属に属します。

レンジュエソ
Margrethia obtusirostra
4.5cm

ヨコエソ
Sigmops gracilis
12cm

ユメハダカ
Diplophos orientalis
40cm

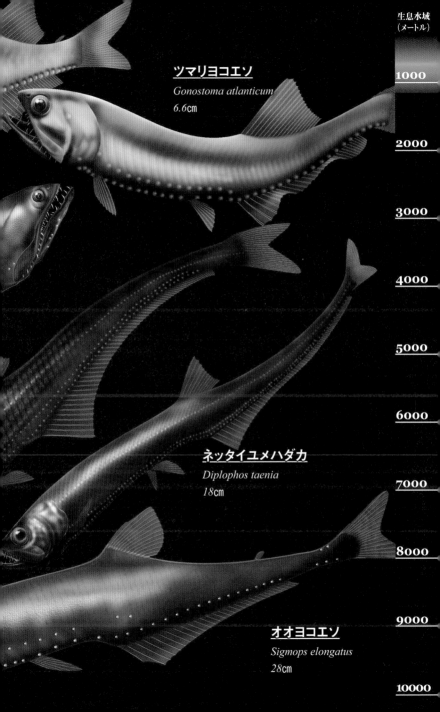

生息水域
（メートル）

1000

2000

3000

4000

5000

6000

ツマリヨコエソ
Gonostoma atlanticum
6.6cm

ネッタイユメハダカ
Diplophos taenia
18cm

7000

8000

オオヨコエソ
Sigmops elongatus
28cm

9000

10000

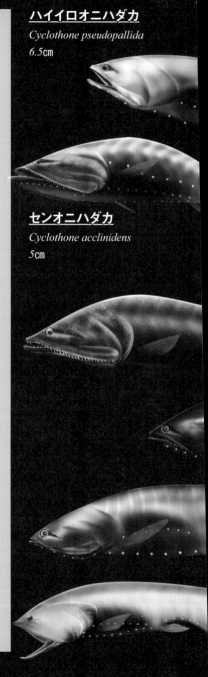

【ワニトカゲギス目】
ヨコエソ科

全てワニトカゲギス目ヨコエソ科オニハダカ属です。鬼と付いていますが人の指くらいの「小魚」です。英名は Bristlemouth（剛毛の口）、針のような尖った歯を持っています。

バイオマスといって世界で最も数の多い脊椎動物の1種といわれるほど海の垂直方向にも水平方向にも広く分布していて多くの生き物のエサ生物となっています。比較的浅いところから深みまで普通に見られ、種類によって棲息する深さの分布が異なります。おおよそ深くなるほど色彩が濃くなっていく傾向があるようです。

日周鉛直移動はしません。ただ仔稚魚（しちぎょ）の時代は表層で生活し、成熟すると深みに潜行していきます。

ユキオニハダカは種小名も「白い（alba）」個体で比較的浅めの 500m 付近にいます。キクロソネ　ブラウエリもこの辺りの深さから知られています。

ハイイロオニハダカは灰色で 600m 付近、種小名は「ウスオニハダカの偽物（pseudopallida）」と付いています。先に発見されたウスオニハダカと紛らわしかったのでしょうか。そのウスオニハダカは褐色で 1,200m 付近の深さから知られています。

センオニハダカの種小名は「傾いた歯（acclinidens）」。クロオニハダカは 1,000m 以深から知られており、小種名は「暗色の（obscura）」という意味を持ちます。

オニハダカの種小名は「黒くなった（atraria）」で 1,500m 付近に棲息しています。このオニハダカとミナミオニハダカ（C.microdon）に限ってはオスからメスに性転換する「雄性先熟型」という繁殖形態を示します。

これらヨコエソ科のオニハダカ属は 10 数種が知られています。

ハイイロオニハダカ
Cyclothone pseudopallida
6.5cm

センオニハダカ
Cyclothone acclinidens
5cm

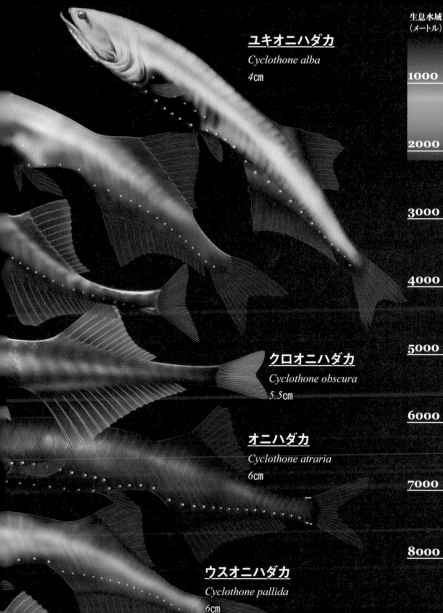

生息水域
(メートル)

1000

2000

3000

4000

5000

6000

7000

8000

9000

10000

ユキオニハダカ
Cyclothone alba
4cm

クロオニハダカ
Cyclothone obscura
5.5cm

オニハダカ
Cyclothone atraria
6cm

ウスオニハダカ
Cyclothone pallida
6cm

キクロソネ　ブラウエリ
Cyclothone braueri
3.8cm

ワニトカゲギス科

ワニトカゲギス目ワニトカゲギス科ホウキボシエソ亜科は顎の膜がなく（=Loosejawfish）、腱が1本通っているだけの構造をしています。捕らえた獲物をゆっくり咀嚼（そしゃく）するなんて悠長なことはいっていられないのです。丸飲みが生きていくための基本です。

アゴヌケホシエソ

Aristostomias grimaldii

*18*cm

アゴヌケホシエソもオオクチホシエソと同じように眼の下の赤い発光器を使い、自らは赤を認識できる光受容体のおかげで獲物を赤く捉えています。暗視カメラのようなものです。

ホウキボシエソ

Photostomias tantillux

*17*cm

胸ビレとヒゲを持ちません。*P.liemi* から学名が変更されたいきさつがあります（2009/2 日本魚類学会）。

生息水域
(メートル)

1000

2000

3000

4000

5000

6000

7000

8000

9000

10000

オオクチホシエソ

Malacosteus niger

22cm

胸ビレはありますがヒゲはありません。属名は「柔らかい骨（Malacosteus）」、種小名は「黒い（niger）」の意。

目の下に赤い光および赤外線を照射する発光器を持っています。赤いサーチライトは相手に気づかれる心配がなく、究極の優れた探知手段です。しかしオオクチホシエソの網膜には赤い光を感じる細胞はないので本来なら見えていないはずです。解決方法として赤い光を吸収する化学物質を持った光受容器を網膜の前に置くことによって赤みがかった光を認識しているのです。英語では Stoplight loosejaw、赤信号に例えたのでしょうね。

クマドリホシエソ

Aristostomias polydactylus

20cm

胸ビレもヒゲもあります。顔の隈取（くまどり）のような発光斑が和名の由来です。種小名は「多数の指のある（polydactylus）」。

ヘビトカゲギス

Stomias boa

32.2cm

六角形の鱗状紋を身にまとっています。ワ
ニとかヘビとかトカゲとか爬虫類に見える
のでしょうか。英名は Scaly dragonfish。

【ワニトカゲギス目】

ワニトカゲギス科

発光器を備えた魚というのは、深海という環境では珍
しくなく普通に数多くみられます。ただ発光手段に違
いがあります。

ここに紹介したワニトカゲギス目ワニトカゲギス科の
ワニトカゲギスの仲間や、ハダカイワシの仲間は「自
力発光型」といって、発光細胞に発光物質であるルシ
フェリンが蓄えられていて、これがルシフェラーゼと
いう酵素によって酸化分解されます。その時のエネル
ギーが光に変換される仕組みになっています。ホタル
やホタルイカなんかも同じ原理で光っています。

一方、他力に頼るのが「発光バクテリア共生型」とい
って細菌の力を借りて発光させるタイプです。チョウ
チンアンコウやヒカリキンメダイなんかがその例です。
400種以上が見つかっているワニトカゲギス目ですが、
そのうちワニトカゲギス科は 20 種前後、約 5% と小さ
なグループです。

ただ分類には違う見方もあるようで、ここに紹介した
ワニトカゲギス科を含めトカゲハダカ科、ホテイエソ
科、ミツマタヤリウオ科、ホウキボシエソ科をそれぞ
れ上位の「亜科」にくくり、ホウライエソ科はワニト
カゲギス亜科ホウライエソ属にくくっている文献もあ
ります。分類もなかなか流動的なようです。

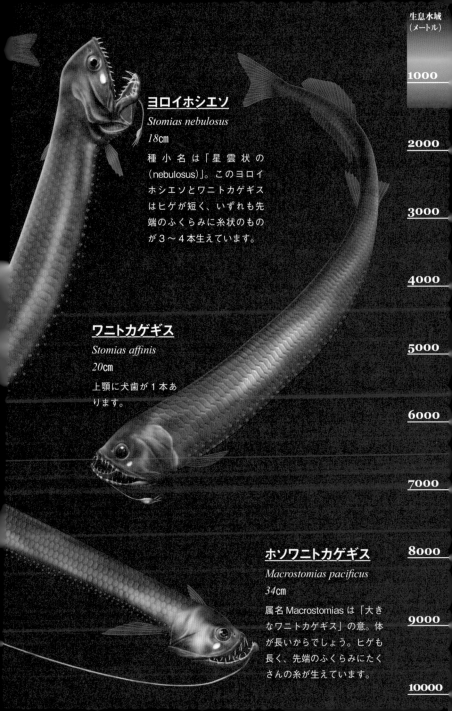

生息水域
（メートル）

1000

2000

3000

4000

5000

6000

7000

8000

9000

10000

ヨロイホシエソ
Stomias nebulosus
18cm

種小名は「星雲状の
（nebulosus）」。このヨロイ
ホシエソとワニトカゲギス
はヒゲが短く、いずれも先
端のふくらみに糸状のもの
が3〜4本生えています。

ワニトカゲギス
Stomias affinis
20cm

上顎に犬歯が1本あ
ります。

ホソワニトカゲギス
Macrostomias pacificus
34cm

属名Macrostomiasは「大き
なワニトカゲギス」の意。体
が長いからでしょう。ヒゲも
長く、先端のふくらみにたく
さんの糸が生えています。

オオメウキエソ

Argyripnus ephippiatus

7cm

種小名は「鞍を置いた馬に乗って
いる（ephippiatus）」なんですが
ちょっと理由が思いつきません。
学名というのは改めてなぞなぞだ
と感じます。

オビムネエソ

Sternoptyx obscura

4cm

種小名 obscura は「暗い」です。
ちなみにカメラの語源がラテン語
のカメラ・オブスキュラといって
「暗い小部屋」といいます。

ムネエソモドキ

Sternoptyx pseudobscura

7cm

ムネエソモドキは種小名も「偽のオ
ビムネエソ（pseudobscura）」です。

キュウリエソ

Maurolicus japonicus

5cm

発光器はルビー色、生きている時は本当
にキュウリのにおいがするそうです。

生息水域 (メートル)
1000
2000
3000
4000
5000
6000
7000
8000
9000
10000

【ワニトカゲギス目】
ムネエソ科

ワニトカゲギス目ムネエソ科のグループです。極端に薄っぺらい体をしています。図鑑的には「著しく側扁（そくへん）している」という表現になりますね。

ムネエソ、ムネエソモドキ、オビムネエソはムネエソ亜科に属します。オオメウキエソ、ホシエソ、キュウリエソはスマートな体型をしたキュウリエソ亜科の仲間です。

ムネエソ
Sternoptyx diaphana
6cm

英名を Hatchet（手斧）fish といい、横から見たシルエットが斧のように見えることが由来です。種小名は「透明な（diaphana）」、言うまでもなくお腹の部分が透けています。ここだけ透明にしても中途半端な気がします。初めてこの魚を見た時は「なんだかゆがんでいる」と思いました。どう見ても平行四辺形に変形しているのです。もちろん変形したわけではなく元々こういう姿をしているのですが。

ホシエソ
Valenciennellus tripunctulatus
3.5cm

種小名は「3つの小さな斑点のある（tripunctulatus）」。お腹の発光器以外に背中側に放射状の模様が並んでいます。英名の Constellation（星座）fish はそこからきています。

ホウライエソ科

ワニトカゲギス目ホウライエソ科ホウライエソ属。まず、この牙に目がいきます。長過ぎて口を完全に閉じることができません。属名も「突き出た歯のある（Chauliodus）」と見たまんまです。

上顎に左右合わせて8本、下顎に左右合わせて10本、特に下顎の一番前の2本が最大で口を閉じた時、先端はおでこまで届きます。うなじを支点に上を向くように頭をひねり、下顎を前に出すと牙が上下に開いてエサ生物を受け入れやすくなります。そして一気に飲み込みます。獲物をこの口まで誘導するのは背ビレの一番前にある長い鰭条（きじょう）です。先端に発光器があるのでこれを小さな発光生物、例えばカイアシと勘違いさせてハダカイワシなどをおびき寄せていると考えられています。

かなりの大食漢で自分自身の大きさくらいの相手には平気で食らいつきます。もっとも暗闇での出来事なので食らいついたら思いのほか大きかった、が正解だと思います。

ワニトカゲギス目の専売特許である光るヒゲは持っていません。さらに他のワニトカゲギス目と違って背ビレが思いっきり前の方にあります。その代わり後ろには大きな脂ビレが付いています。六角形の鱗状紋も丈夫な鎧のような印象を与えてますが意外とヤワで、網で採取するとほとんど剥がれてしまいます。

ヒガシホウライエソは眼の後ろにナミダ形の発光器（眼後発光器）、ホウライエソは円形の発光器があります。また稚魚の時代は水面近くまで上がってくる日周鉛直移動をおこないます。英名は Viperfish（毒蛇の魚）。18世紀末に初めて発見されたホウライエソのホロタイプは当時、間違ってカワカマス属の1種（*Esox stomias*）だと思われていましたがその後、統合されたいきさつがあります。

ホウライエソ
Chauliodus sloani
35cm

ヒガシホウライエソ
Chauliodus macouni
28cm

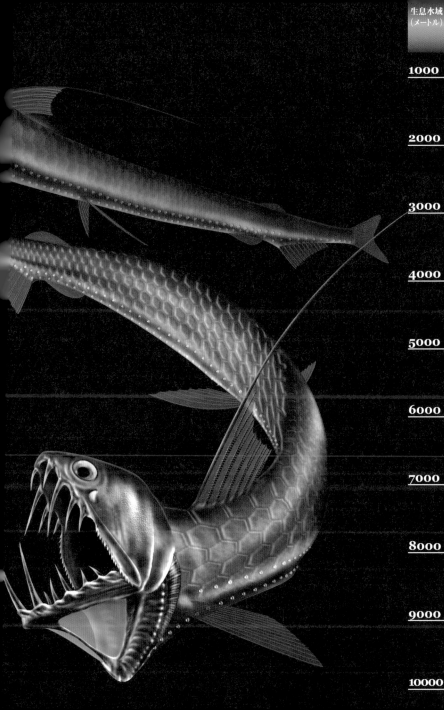

1000

2000

3000

4000

5000

6000

7000

8000

9000

10000

【ワニトカゲギス目】
ミツマタヤリウオ科

ワニトカゲギス目ミツマタヤリウオ科ミツマタヤリウオ属の属名 Idiacanthus は「顕著な棘」という意味を持ちます。鋭い歯は内側に倒せる構造なので、捕らえた獲物を逃すことはありません。おびき寄せる時はヒゲの先端の発光器を使います。

イデアカンサス　アトランティカス

Idiacanthus atlanticus

53㎝

英名は Black dragonfish。

ナンヨウミツマタヤリウオ

Idiacanthus fasciola

27㎝

種小名は「小さな紐（fasciola）」。
英名は Ribbon sawtail fish。

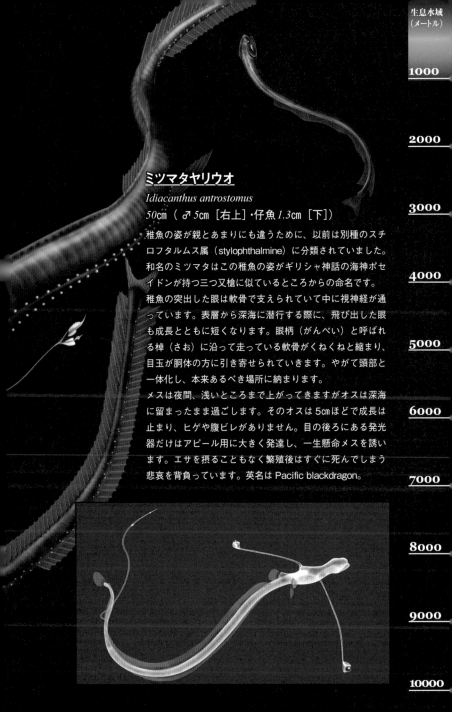

1000

2000

ミツマタヤリウオ

Idiacanthus antrostomus
50cm（♂5cm［右上］・仔魚1.3cm［下］）

3000

稚魚の姿が親とあまりにも違うために、以前は別種のスチ
ロフタルムス属（stylophthalmine）に分類されていました。
和名のミツマタはこの稚魚の姿がギリシャ神話の海神ポセ
イドンが持つ三つ又槍に似ているところからの命名です。

4000

稚魚の突出した眼は軟骨で支えられていて中に視神経が通
っています。表層から深海に潜行する際に、飛び出した眼
も成長とともに短くなります。眼柄（がんぺい）と呼ばれ
る棹（さお）に沿って走っている軟骨がくねくねと縮まり、

5000

目玉が胴体の方に引き寄せられていきます。やがて頭部と
一体化し、本来あるべき場所に納まります。
メスは夜間、浅いところまで上がってきますがオスは深海
に留まったまま過ごします。そのオスは5cmほどで成長は

6000

止まり、ヒゲや腹ビレがありません。目の後ろにある発光
器だけはアピール用に大きく発達し、一生懸命メスを誘い
ます。エサを摂ることもなく繁殖後はすぐに死んでしまう
悲哀を背負っています。英名は Pacific blackdragon。

7000

8000

9000

10000

シャチブリ科

シャチブリ目シャチブリ科は1目1科、属は4属に分類されています。吻端（ふんたん）がぷにゅぷにゅした、頭でっかち尻すぼみの魚です。英名はJellynose fish または Tadpole（オタマジャクシ）fish といいます。身だけでなく骨も軟らかく大半が軟骨でできているので耳石以外は化石にもほとんど残りません。

体長は比較的大きくて、オオシャチブリは全長2mに達します。深海としては比較的浅い大陸斜面の上部、約200m付近の海底を頭をやや下向きに尾っぽは上に反り上げるような格好で遊泳しています。これがシャチホコを連想するので和名の由来となりました。属名 Ijimaia は「不完全な脚（鰭）」。

魚の中にはヒメジやギンメダイのように顎の下にヒゲを持っていて海底のエサを探す種類がいます。シャチブリは腹ビレの先端に感覚器官を持っていてこれで獲物を探索しています。腹ビレは3本の軟条（なんじょう）で外側の1本が長くなっています。なお中層を遊泳するリュウグウノツカイは胸ビレの先端に同じ機能があるといわれています。

シャチブリの仔魚も変わった姿をしています。目が飛び出し、頭は幅と長さがほぼ同じ、腹ビレは頭の後ろに付いています。背ビレと胸ビレの鰭条（きじょう）がやたら長く伸長しています。胴体もひょろ長くお腹側にオレンジ色の斑紋が並んでいます。とにかく親とは似ても似つかない姿をしています。

シログチシャチブリは九州・パラオ海嶺から知られています。最近の研究でタナベシャチブリ（A.tanabensis）とムラサキシャチブリ（A.purpureus）はシャチブリと同種（新参異名）と判明しました。

シャチブリ

Ateleopus japonicus
100cm（稚魚 18cm ［右］）

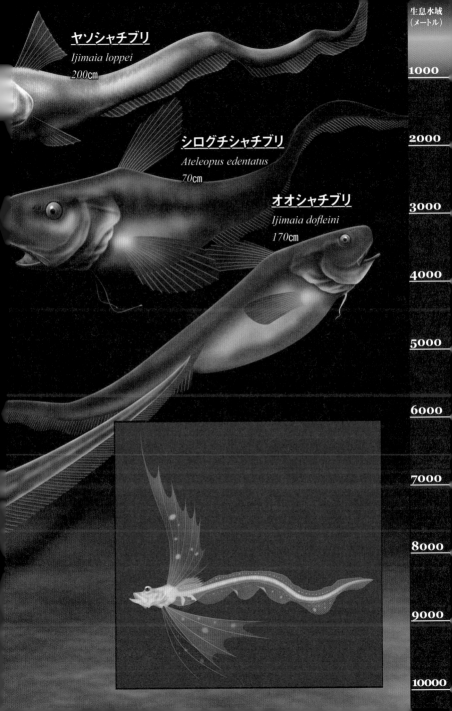

生息水域
（メートル）

1000

2000

3000

4000

5000

6000

7000

8000

9000

10000

ヤソシャチブリ
Ijimaia loppei
200cm

シログチシャチブリ
Ateleopus edentatus
70cm

オオシャチブリ
Ijimaia dofleini
170cm

【ヒメ目】
ヤリエソ科

ヒメ目ヤリエソ科に属します。

よく見ないと分かりませんが、この中でムカシヤリエソ（ムカシヤリエソ属）だけが普通に横を向く眼を持っています。他の3種のうちミナミヤリエソとヤリエソはヤリエソ属に属し半分くらいが管状、残りのマダラヤリエソ（マダラヤリエソ属）にいたっては完全に管状になって上を向いています。

存在感のある大きな頭、開いた口と長い歯が印象に残ります。前の方に1番長い牙が生えています。正確にはこの1対の牙は上顎の裏側、口蓋（こうがい）にぶら下がる位置にあります。エサ生物を捕らえた時はうまく倒れるので下顎を貫通させることはありません。なので英名はSabertooth（サーベルの歯）fish。

種小名はミナミヤリエソが「黒くなった（atrata）」、ヤリエソが「大西洋の（atlantica）」、ムカシヤリエソが「規定どおりの（普通の）顔（normalops）」。

ミナミヤリエソはインド洋、太平洋の熱帯地域で知られていましたが、日本でも三重県沖熊野灘で棲息が確認された種類です（1990年魚類学雑誌）。通常は数100〜1,000mの中層を遊泳し、ハダカイワシなどを捕食しています。

これらヤリエソ科は普段、体は薄くて側扁していますが、食に関しては貪欲でそこそこの大きさなら丸呑みしてお腹をぱんぱんに膨らませることがあります。皮膚は見かけと違ってデリケートで破れやすくなっています。ウロコや発光器はありません。体の色は黒から褐色、少し錆色の光沢がかっています。

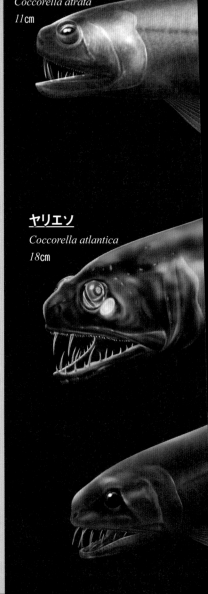

Coccorella atrata
11cm

ヤリエソ
Coccorella atlantica
18cm

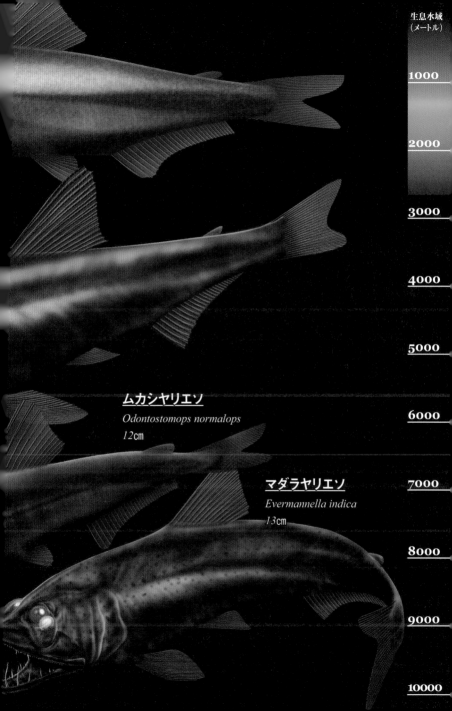

生息水域
（メートル）

1000

2000

3000

4000

5000

ムカシヤリエソ
Odontostomops normalops
*12*cm

6000

マダラヤリエソ
Evermannella indica
*13*cm

7000

8000

9000

10000

ボウエンギョ

Gigantura chuni

15.6㎝（仔魚 1.6㎝［上］）

コガシラボウエンギョ

Gigantura indica

20.3㎝

アウロプス　フィラメントサス

Aulopus filamentosus

44㎝

ヒメ属で体には濃褐色の縞が数本あり普通の魚
の姿をしています。大西洋東西の大陸沿岸から
地中海全域にかけて深さは数 10 ～ 1,000m 辺
りまで、主に底生生物を捕食しているので海底
近くが活動範囲になっています。英名は Royal
flagfin、優雅な名前ですね。

ヒメ科、ボウエンギョ科

いずれもヒメ目、ヒメ科とボウエンギョ科2種です。

見た目は全く違いますね。ヒメ科はFlagfinと呼ばれ、旗のような大きく立派な背ビレを持っているのが特徴です。一方、ボウエンギョ科はその名の通り望遠鏡のような眼を持っています。英名はTelescope fish。両目がしっかり前を向いているのでむしろ双眼鏡ですね。遠近感を捉え視界に入った獲物を立体視していると思われます。体は白っぽくウロコはありません。胸ビレは背中寄りに上向きに付いていて背ビレの大きさも普通です。ヒメ科とは共通点を探すのが苦労するくらい似ていません。

ボウエンギョ科は熱帯地方の深海3,000mまでの中層で頭を上に直立した状態で上方向を虎視眈々と狙っています。さほど大きくはないですが、鋭い歯が物語るように獰猛なハンターでもあります。相手の大きさには躊躇することなく襲いかかります。そのため極めて丈夫で柔軟な胃袋を持っています。属名は長い尾を持つことから「大きな尾（Gigantura）」。日本近海ではコガシラボウエンギョが2006年に九州の南東沖で採取されました。1属2種が知られているのみです。

さらにボウエンギョ科はロザウラ期と呼ばれる稚魚の世代は外洋温暖域の浅いところで過ごします。これまた姿は親とは似ても似つかず大きな頭と主上顎骨を持っていて眼は飛び出していません。普通につぶらです。腹ビレと脂ビレは成長とともに消失します。

彼らが属すヒメ目はすべて海産魚で、岸近くの砂地に潜ってエサとなる小魚を捕食するエソ科が一般的には知られています。そんなヒメ目の中でボウエンギョやチョウチンハダカ（Ipnops agassizii・P114）の仲間は異端児で、成長するに従い深みへと降りて中層や底層、深海底へと独自に適応進化したグループなのです。

1000

2000

3000

4000

5000

6000

7000

8000

9000

オオイトヒキイワシ

Bathypterois grallator
36.8cm

腹ビレと尾ビレの軟条は一部だけ極端に長くなっていて海底にバランスよく立っています。海底から離れるにしたがって水の流れが速くなるのでそれだけプランクトンにありつけるチャンスが増えます。それを狙っているのです。属名 grallator は「竹馬」の意味。英名は Tripodfish（三脚魚）。胸ビレの軟条は上下に分かれておらず短めです。危険を感じた時はこれら、持てあましそうな鰭条を後ろにたなびかせてゆらーっと泳ぎ去っていきます。脂ビレはありません。

バシィプテロイス　ロンギペス

Bathypterois longipes
24.9cm

英名 Abyssal spiderfish。主に大西洋が棲息域です。spiderfish は広げた胸ビレを蜘蛛に見立てた命名ですね。足を伸ばすかアンテナを伸ばすか、が個性を分けていますね。両方伸ばすのは確かに不安定な気がします。一応眼を持ちますがほとんど見えていません。上流に頭を向け、感覚を常に研ぎ澄ませているのでなまじっかの視力よりよっぽどアテになります。

ミナミイトヒキイワシ

Bathypterois longifilis
30cm

英名 Feeler fish（触手を持った魚）。オーストラリア、ニュージーランド付近、南西太平洋に棲息しています。やはり胸ビレの鰭条が伸びています。

生息水域
（メートル）

1000

2000

3000

4000

5000

6000

7000

8000

9000

10000

【ヒメ目】
チョウチンハダカ科

海底でじっとしている姿が観察されています。ヒメ目チョウチンハダカ科イトヒキイワシ属に属し「同時的雌雄同体」という特徴を持っています。つまりオスでもありメスでもあるのです。マイワシ（真鰯=*Sardinops melanostictus*）との類縁関係はありません。上顎より下顎が出ているのでシルエットはむしろサンマ（*Cololabis saira*）に似ているかもしれません。棲息する深さは数100mから1,500m付近までですが、ミナミイトヒキイワシとバシィプテロイス　ロンギペスは5,000mを超える深さからも得られています。

ミツマタイトヒキイワシ
Bathypterois viridensis
*22.2*cm

尾柄部に切込みがありません。西部大西洋の熱帯、温帯に棲息しています。

カギイトヒキイワシ
Bathypterois quadrifilis
*18*cm

腹ビレ尾ビレの長さはさほど長くありませんが、胸ビレの長い鰭条をバンザイさせています。これでわずかな水流の変化を感じ取っているのです。尾ビレの根元の尾柄部（びへいぶ）に切込みがあります。西部大西洋の熱帯、温帯域に棲息しています。

【ヒメ目】
チョウチンハダカ科

同じヒメ目チョウチンハダカ科の中でもイトヒキイワシ属とは異なり、チョウチンハダカ属は海底で泰然自若とたたずんでいます。いずれも雌雄同体です。
チョウチンハダカは棲んでいる場所の違いで*I.agassizi*のほか、*I.meadi*と*I.murrayi*の3種に分類されていますが、精査が必要との考えもあるようです。前者2種はインド太平洋、後者1種は大西洋でどの種も3,000mより深い海底に鎮座しています。

チョウチンハダカ
Ipnops agassizii
14.5cm

チョウチンハダカの眼はもはや眼とは呼べない外見です。眼板（がんばん）と呼ばれる器官で光だけはかろうじて感じることができます。レンズはありません。英名はGrideye fish。潜水艇のライトに浮かび上がる2つの光点は黄泉（よみ）の世界からの覗き穴のようで、誰かがこちらを見ている不気味ささえ感じます。子供の頃は普通の姿、普通の眼をしています。

Bathymicrops regis
11㎝

バシィミクロプス　レギスは 5,000m の深海底で観察されています。教室で使うチ
ョークくらいの大きさで華奢（きゃしゃ）な体型ですが、卵から成魚にいたる過程
で 5,000m の深度差を往復するパワフルさを持っています。深海で生まれた卵が浮
遊しつつ変態が始まる 3㎝になるまで上昇し、しばらくはエサの豊富な表層で過ご
します。ある程度育ったら再び深海底に下降、この小さい体で往復 10㎞は大遠征で
すね。体に 6～7 本の横縞模様があります。眼は痕跡的でウロコに覆われています。

ソコエソ

Bathytyphlops marionae
38㎝

ソコエソの眼はビーズ玉のようなレンズを持ち、ウロ
コでなく皮膚に覆われています。稚魚は普通の眼を持
ち、表層まで上がってきて、ごくごく稀にナイトダイ
ビングで出会うこともあるそうです。稚魚期はマクリ
スティエラ期と呼ばれています。

1000

2000

3000

4000

5000

6000

7000

8000

9000

10000

アオメエソ科

メヒカリといった方が身近かもしれません。美味しい魚なのでよく流通しています。アツアツの唐揚に塩をちょっと付けて食べる、最高です。

水晶体が黄色なので生きている時は光を当てると見事な青緑色に光ります。属名は「黄緑色の眼（Chlorophthalmus）」。英名も Green eye。アオメエソ科は肛門付近に発光バクテリアを共生させているのでここも青緑色に光ります。

すべてヒメ目アオメエソ科アオメエソ属に属し西太平洋は数100mの海底に棲息しています。日本近海では太平洋岸の大陸棚辺りから底引き網漁で重要な水産資源になっています。水族館などで飼育されることもあり、活発に泳ぐというよりも水槽の底でストレッチをしているような反らせた姿勢をとっているのをよく見ます。

全般にアオメエソ科は上唇より下顎の方が前に出ているいわゆる受け口で先端に外歯叢（がいしそう）と呼ばれる歯があります。

バケアオメエソ

Chlorophthalmus sp.

27cm

大きくなる種類で腹ビレの先端が丸くなっているという特徴があります。

アオメエソ

Chlorophthalmus albatrossis

15cm

ツマグロアオメエソ

Chlorophthalmus nigromarginatus

*23*cm

つま先が黒い、つまり尾ビレの先端が黒いところからの命名です。
種小名は「黒い縁取り（nigromarginatus）」、英名も Blackedge
greeneye でアオメエソよりも大型になる種類です。

マルアオメエソ

Chlorophthalmus borealis

*20*cm

種小名は「北の（borealis）」。ただアオメエソと別種にしていいのか
同じ種類にくくった方がいいのかは検討を要するようです。

トモメヒカリ

Chlorophthalmus acutifrons

*30*cm

大型種です。仔稚魚に関する研究報告があり、
アオメエソ同様に日本列島南西の産卵場から黒
潮に乗って列島沿いに北上、着底するという大
回遊を行っていることがわかりました。種小名
は「尖った顔（acutifrons）」。

ヒレナガアオメエソ

Chlorophthalmus pectoralis

*17*cm

種小名は「胸の（pectoralis）」。
胸ビレが他より長めの種類です。

1000

2000

3000

4000

5000

6000

7000

8000

9000

10000

キバハダカ

Omosudis lowii

23cm

キバハダカ属はこのキバハダカ1種のみです。大きな牙の強面（こわもて）に一瞬ひるみますが、体の後半は拍子抜けするくらい華奢（きゃしゃ）なのがアンバランスです。体もかなり薄っぺらいです。眼は普通に横を向いていて覆われている透明な脂瞼（しけん）と呼ばれる膜の上の方が開いているので、一見すると管状眼のようにみえます。銀白色でウロコはありません。雌雄同体で英名はHammerjaw。4,000mの深さから知られています。

クサビウロコエソ

Magnisudis atlantica

45cm

ウロコは剥がれやすいですが側線部分のウロコはしっかりしています。英名はDuckbill barracudina、ダックビルはカモノハシのことです。似てますか？ ……鼻先がいわゆるクサビ状に見えますが和名の由来は側線上のくさび形をしたウロコからです。日本の太平洋側で見られ、北太平洋や北大西洋など寒い海域が主な棲息地です。

生息水域
（メートル）

1000

2000

3000

4000

5000

6000

7000

8000

9000

10000

【ヒメ目】
ミズウオ科、 ハダカエソ科

ヒメ目ミズウオ科の仲間たちとハダカエソ科のクサビウロコエソです。

ミズウオダマシ

Anotopterus nikparini
100cm

背ビレ自体がありません。尾ビレの前に見えるのは脂ビレです。属名も否定の「a」＋「noton（背）」＋「pteron（鰭）」。英名はDaggertooth。短剣ダガーナイフのような歯を持つ意味でその歯は前方に反り返っています。この歯は若い時だけ生えていて成熟するとなくなってしまいます。

ミズウオ

Alepisaurus ferox
130cm

煮ると肉が溶けてしまうところからミズウオと命名されました。雌雄同体です。属名は否定を意味する「a」＋「lepis（鱗）」＋「saura（トカゲ）」、種小名 ferox は「凶暴な」。続けて読むと「ウロコのない凶暴なトカゲ」となります。とにかく何でも食べる貪欲な魚として知られています。

個体間や棲息域で形質に差がみられ、例えば背ビレの軟条数が北西太平洋産と北西大西洋産では 35 ～ 45、インド洋産では 37 ～ 48 と違いがあります。かつては太平洋産だけでも 20 種類以上が記載されましたがそのいくつかは同種異名（シノニム）とされ、現在はミズウオ（*A.ferox*）とツマリミズウオ（*A.brevirostris*）の 2 種に整理されています。両者の違いは背ビレの始まりが頭の後ろにあればミズウオ、前にあればツマリミズウオです。英名は Long snouted lancetfish、「長い吻を持つランセット魚」。ランセットというのは手術で使う両刃の小さなメスのこと、この並んだ歯を指した命名ですね。

【アカマンボウ目】
アカナマダ科、
アカマンボウ科

アカマンボウ目のユニークなグループです。アカマンボウ目は20種類以上が知られていて、大きくは、リュウグウノツカイやサケガシラのように側扁してリボンのように伸長するグループと、このアカマンボウやクサアジのように側扁はするが体高の高いグループの2つに分けられるようです。

アカマンボウ（アカマンボウ科）は体温が海水温より常に5℃くらい高く、活発に遊泳しています。奇網（きもう）と呼ばれる器官がエラにあるので全身の体温を上げることができるからです。

一方のアカナマダ科は成魚には腹ビレがありませんが、稚魚の時期にはあります。アカナマダもテングノタチもおでこに特徴がありますね。テングノタチ、アカナマダ、ロフォタス ラケペデに共通する特徴は墨汁嚢（ぼくじゅうのう）という袋を持っていて総排出孔からスミを出すことができることです。彼らの棲息する中深層はぼんやりと光が届く世界、なので相手を一瞬ひるませる防衛説が有力です。

ロフォタス　ラケペデ
Lophotus lacepede
200㎝

英名はCrested（紋付き）
oarfish。大西洋と東太平洋に
分布、アンチョビやイカを食
べています。

テングノタチ
Eumecichthys fiski
100㎝

属名は「長い魚（Eumecichthys）」、
英名はUnicorn（一角獣）crestfish。
1属1種です。

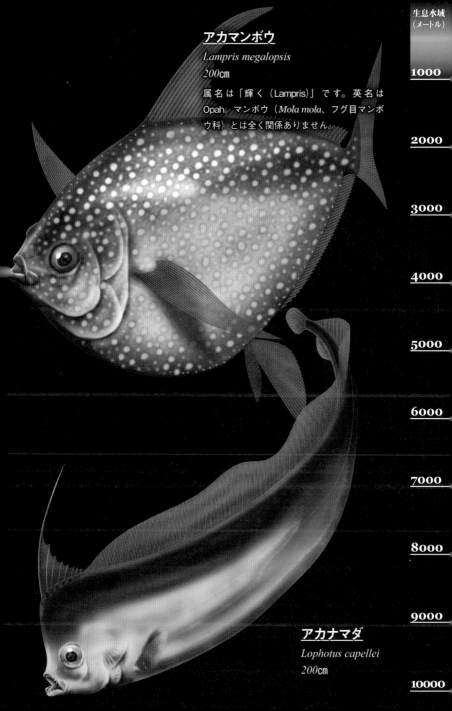

アカマンボウ

Lampris megalopsis
200cm

属名は「輝く（Lampris）」です。英名は
Opah。マンボウ（*Mola mola*、フグ目マンボ
ウ科）とは全く関係ありません。

アカナマダ

Lophotus capellei
200cm

生息水域
（メートル）

1000

2000

3000

4000

5000

6000

7000

8000

9000

10000

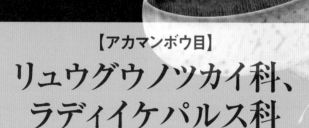

レガレカス　グレスネ

Regalecus glesne
1100㎝

背ビレ前部の伸びた鰭条の本数が10
〜12本で後半が遊離しています。ま
た背ビレ鰭条数がリュウグウノツカイ
（*R.russelii*）の414〜449本に対し、
レガレカス　グレスネは333〜371本
と少ない点が違いです。

【アカマンボウ目】
リュウグウノツカイ科、ラディイケパルス科

ラディイケパルス科は1属1種です。リュウグウノツカイ科は背ビレが眼の中央より
後ろから始まる Agrostichthys 属と眼の前から始まる Regalecus（リュウグウノツカ
イ属）がいます。前者は *A.parkeri* 1種のみが南半球から知られています。後者の属名
Regalecus は「王にふさわしい」。昔から特別な存在だったようです。
リュウグウノツカイは西洋ではニシンの王（King of herring）と呼ばれ、ニシンが豊
漁になる吉兆とされたことがあります。
ギリシャ神話の中で美しい歌声を披露し船乗りを誘惑、難破させるセイレーン、ドイ
ツライン川のローレライ、英語圏のマーメイド、アジア圏の人魚などなど、これらの
伝説はジュゴンやマナティ以外にリュウグウノツカイがその正体だともいわれていま
す。情報網が発達する以前、浜辺に打ち上がった個体の目撃談に尾ひれがついて怪物
伝説になってしまうのも無理のないことだと思います。日本では17世紀の江戸時代、
井原西鶴の浮世草子である「武道伝来記ー命とらるる人魚の海」に「かしら、くれな
ゐの鶏冠（とさか）ありて……」という表現が登場します。

ラディイケパルス　エロンガタス

Radiicephalus elongatus
76㎝

尾ビレの下側（下葉＝かよう）の７本が長くヒモ状に伸びています。墨袋を持っているのでアカナマダに近いともいわれています。英名 Tapertail は「先細りの尾」。

リュウグウノツカイ

Regalecus russelii
550㎝

普段は角度をつけた姿勢で立ち泳ぎをしています。英名は Ribbon fish または Oarfish。後者は赤い腹ビレの先端が平たいオール状になっていることからの命名です。この腹ビレの先端に感覚器官があって味を感知しているようです。これはシャチブリ目の腹ビレの役目と同じです。
成体の腹ビレは１本ですが稚魚の世代は鰭条（きじょう）が２本あります。長い腹ビレの途中には等間隔に３〜５個の皮弁（ひべん）がぽこんぽこんと付いています。背ビレは赤く、背中全体にわたって波打たせています。背ビレ鰭条の前部６本は長く、うち５本は膜でつながり１本が遊離しています。
硬骨魚類で最長、17ｍ の記録保持者です。

1000

2000

3000

4000

5000

6000

7000

8000

9000

10000

オフショアヘイク

Merluccius albidus

70cm

英名 Offshore silver hake 。メルルーサ
の仲間の中でこの種だけが暖かい海域
の西大西洋に棲息しています。

ケープヘイク

Merluccius capensis

60cm

英名 Shallow-water（浅海）
Cape hake。南アフリカの大
陸棚に多く棲息していて底引
き網で漁獲されています。

【タラ目】
メルルーサ科

今ではフライやファストフードとしてすっかりメジ
ャーになったタラ目メルルーサ科メルルーサ属のグ
ループです。白身魚で食感もタラ科に近く食べやす
いので広く漁獲対象になっています。タラ科は背ビ
レが3つ、尻ビレが2つであるのに対し、メルルーサ
科はそれぞれが2つと1つという外見的な違いがあり
ます。背ビレ尻ビレの中央付近が凹んでいます。ヒ
ゲはありません。
一口にメルルーサといっても棲息している場所が
様々です。ちなみにメルルーサというのはスペイン
語（Merluza）、英語ではヘイク（Hake）といいます。

シロガネダラ

Merluccius productus

62cm

底生性ですが夜間表層に上がって
くる日周鉛直移動をおこないま
す。種小名は「伸長した」、英名は
North Pacific hake 。北太平洋の
寒冷域に棲息する種類です。

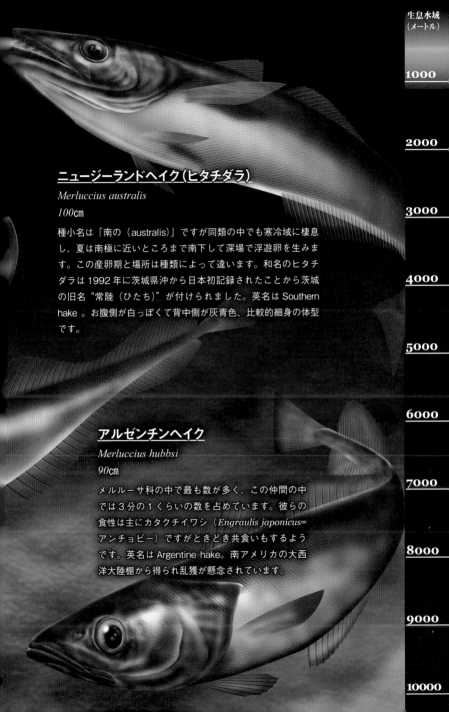

1000

2000

ニュージーランドヘイク（ヒタチダラ）

Merluccius australis

*100*cm

種小名は「南の（australis）」ですが同類の中でも寒冷域に棲息
し、夏は南極に近いところまで南下して深場で浮遊卵を生みま
す。この産卵期と場所は種類によって違います。和名のヒタチ
ダラは1992年に茨城県沖から日本初記録されたことから茨城
の旧名"常陸（ひたち）"が付けられました。英名はSouthern
hake 。お腹側が白っぽくて背中側が灰青色、比較的細身の体型
です。

3000

4000

5000

6000

アルゼンチンヘイク

Merluccius hubbsi

*90*cm

メルルーサ科の中で最も数が多く、この仲間の中
では3分の1くらいの数を占めています。彼らの
食性は主にカタクチイワシ（*Engraulis japonicus*=
アンチョビー）ですがときどき共食いもするよう
です。英名はArgentine hake。南アメリカの大西
洋大陸棚から得られ乱獲が懸念されています。

7000

8000

9000

10000

【タラ目】
ソコダラ科

すべてソコダラ科ホカケダラ属に属し北太平洋に広く分布しています。総じてホカケダラ属は大型で2〜3,000m級の深海底帯に生息する種が多いようです。

ムネダラ
Coryphaenoides pectoralis
150cm

ソコダラ科の中で大きさが際立っていて2mクラスにまで成長します。英名も Giant grenadier。種小名 pectoralis は「胸の」。

イバラヒゲ
Coryphaenoides acrolepis
75cm

イバラヒゲも大型になる種類で食用として利用されています。顎ヒゲで海底泥の中の小動物を探しています。種小名 acrolepis は「頂点の鱗」。英名は Pacific grenadier。ウロコが強い櫛鱗（しつりん）で外側に向かい5〜8本の隆起線が放射状に並んでいます。これがイバラの由来でしょう。先のムネダラのウロコの櫛鱗は弱い隆起線です。ムネダラもイバラヒゲも相模湾より北、カリフォルニアより北の北太平洋に棲息し、3,000m を超える深さから知られています。

ヨロイダラ
Coryphaenoides armatus
75cm

ヨロイダラとシンカイヨロイダラはおよそ4,000mを境に棲み分けをしています。ヨロイダラの英名はAbyssal grenadier。種小名 armatus は「武装した」。

1000

2000

3000

4000

5000

6000

7000

8000

9000

10000

ヒモダラ

Coryphaenoides longifilis
*86*cm

ヒモダラの種小名は「長い
糸」。腹ビレの軟条が１本
長く伸びています。英名は
Longfin grenadier。

シンカイヨロイダラ

Coryphaenoides yaquinae
*63*cm

シンカイヨロイダラはヨロイダラのさらにその
下、6,000m以深の海溝にも出現する超深海の
代表種です。シンカイヨロイダラとヨロイダラ
の体の違いとしては、頭と下顎下面にウロコが
あるかないか、下の歯が前の方で２列になって
いるかどうかで区別しています。深さ以外の棲
息域もヨロイダラは北極海を除くすべての大洋
に分布するのに対し、シンカイヨロイダラは主
に北太平洋に分布しています。どちらも細い尾
部を波立たせることで重い頭部が下がり、海底
のエサにありつきやすくなります。

バケダラモドキ

Macrouroides inflaticeps

48cm

バケダラに似た種類のバケダラモドキにはバケダラにある腹ビレがありません。バケダラモドキ属もこの1種のみです。英名は Inflated whiptail（膨らんだ鞭の尾）。頭の中はとろみのある粘液腺に満たされぷよぷよしています。大陸斜面 4,000m の深さから知られています。

クロボウズダラ

Odontomacrurus murrayi

64cm

日本近海でのクロボウズダラは 2015 年東北太平洋沖 168 ～ 204m から採取され、これが日本初として記載されました。ウロコは小さく1つのウロコに 10 本ほどの針のような棘が立っています。剣山みたいで痛そうですね。頭と胴体のずんぐりした太さに比べ尾の細さが不釣り合いです。英名は Roundhead grenadier。1属1種です。

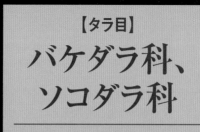

生息水域
（メートル）

1000

2000

3000

4000

5000

6000

7000

8000

9000

10000

【タラ目】
バケダラ科、ソコダラ科

ソコダラ科とバケダラ科の仲間です。

バケダラ

Squalogadus modificatus

36cm

バケダラはバケダラ属の1属1種だけです。英名は Tadpole whiptail。「鞭の尾を持つオタマジャクシ」という意味になります。種小名 modificatus は「変形された」。歯は上も下もヤスリのように細かく生えて歯帯（したい）を形成しています。日本の太平洋側のほか、メキシコ湾、オセアニア近海からも知られています。1,100〜1,400mの深さから得られています。

マクロウルス　ベルグラックス

Macrourus berglax

100cm

マクロウルス属に属し、ソコダラ科の中ではメートル級と相当大型になります。北ノルウェーやアイスランドなど北西大西洋で捕獲され、重要な漁業資源になっています。発光器は肛門直前に豆粒大のものがあります。英名は Rough（粗い）head grenadier。クロボウズダラの "Round（丸い）head" とは真逆の強面（こわもて）です。

【アシロ目】
アシロ科

この中でソコボウズ 1 種のみアシロ目アシロ科ハダカイタチウオ属で残りはアシロ目アシロ科フクメンイタチウオ属です。

フクメンイタチウオ属の属名 Bassozetus は「深い谷」、日本近海でフクメンイタチウオの仲間は 2000 年以降相次いで記録されています。それでも世界中に 10 数種が知られているにすぎません。頭部はぶよぶよしていて濃い黒色が覆面を連想させます。腹ビレは 1 軟条、胴体の後ろにいくにしたがい色は淡くなっていきます。フクメンイタチウオ属もソコボウズもいずれも相当深場に進出したグループです。

フクメンイタチウオ
Bassozetus zenkevitchi
26㎝

世界中の 1,500 ～ 7,000m の幅広い深さから得られています。

オオリンフクメンイタチウオ
Bassozetus compressus
62㎝

2015 年に日本初記録となる標本が発見されました。大きなウロコを持つことが和名の由来です。分布は西太平洋の 2,000 ～ 5,000m。

イシフクメンイタチウオ
Bassozetus robustus
64㎝

日本初記録は 2009 年で駿河湾からです。世界ではインド洋や太平洋、西部大西洋の熱帯、温帯域の 1,100 ～ 4,400m から得られています。

生息水域
(メートル)

1000

2000

3000

4000

5000

6000

7000

8000

9000

10000

ソコボウズ

Spectrunculus grandis

100cm

移行帯から 6,000m を超える超深海まで幅広く棲息しています。種小名 (grandis) は「大きな」。アシロ目の中では大型になる種類で 2m に達する個体 もいます。前鼻孔（ぜんびこう）が肥厚しています。深海魚としては例外的 に明るい灰色です。幼魚は表層で過ごします。腹ビレは 2 軟条、この腹ビレ を使って海底を探っています。そして何かの死骸が降ってくるとどこからと もなく現れ、貪欲に貪り食います。英名は Pudgy（ずぶぬれ）cuskeel。

ナンヨウフクメンイタチウオ

Bassozetus glutinosus

66cm

2007 年に駿河湾から見つかりこの種では最北のサンプルとなりました。琉球 海溝からも採取されています。下顎は口を閉じた時、上顎に覆われます。フク メンイタチウオに比べて背ビレの鰭条数が多いという違いがあります。和名は 主に熱帯域から亜熱帯域にかけて分布することから南洋が提唱されました。

ソコフクメンイタチウオ

Bassozetus levistomatus

50cm

5,000m 以深からの記録があります。

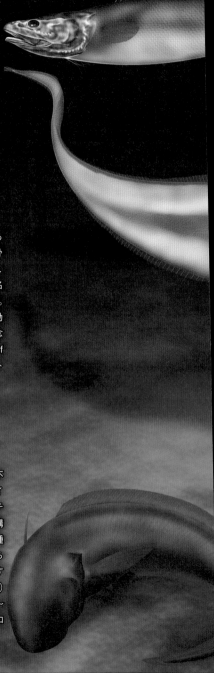

アシロ科

みんな 4,000m を超える深海に生息しています。特にヨミノアシロはプエルトリコ海溝 8,370m から得られ、魚類では現在のところ最深記録です。

ハナトゲアシロ

Acanthonus armatus

37cm

ハナトゲアシロの属名 Acanthonus は「棘のある」、種小名armatus は「武装した」。主鰓蓋骨（しゅさいがいこつ）と前鰓蓋骨（ぜんさいがいこつ）に強くて長い棘（きょく）があります。和名は吻端にある二叉（にさ）の棘からの命名です。英名は Bony-eared（骨のある耳）assfish。脊椎動物の中で体重に対する脳の比率が最小という残念な？研究結果があります（1987 Proceedings of the Royal Society B）。白っぽい体色です。ハナトゲアシロ属はこの 1 種のみ。

ヨミノアシロ

Abyssobrotula galatheae

11cm

眼は皮下に埋没して痕跡的です。超深海では不要ですよね。属名 Abyssobrotula は「深淵のイタチウオ」、種小名 galatheae は調査船ガラテア号からの命名です。日本近海では小笠原海溝から知られています。ヨミノアシロ属はこの種以外に千島・カムチャッカ海溝 5,205m から別種の A.hadropercularis が記載されています（Zootaxa2016_Jul 1）。胸ビレ鰭条（きじょう）の本数がヨミノアシロの 10 〜 11 本に対し 14 〜 15 本と多く、痕跡的な眼の大きさがヨミノアシロより大きいなどの違いがあります。

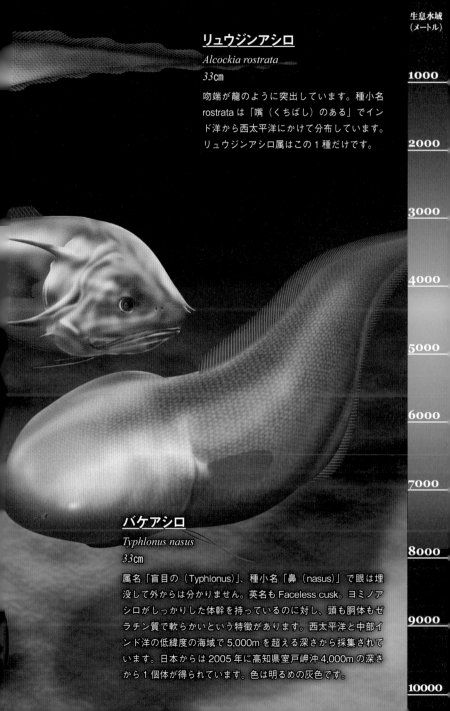

リュウジンアシロ

Alcockia rostrata

*33*cm

吻端が龍のように突出しています。種小名 rostrata は「嘴（くちばし）のある」でインド洋から西太平洋にかけて分布しています。リュウジンアシロ属はこの1種だけです。

1000

2000

3000

4000

5000

6000

7000

バケアシロ

Typhlonus nasus

*33*cm

属名「盲目の（Typhlonus）」、種小名「鼻（nasus）」で眼は埋没して外からは分かりません。英名も Faceless cusk。ヨミノアシロがしっかりした体幹を持っているのに対し、頭も胴体もゼラチン質で軟らかいという特徴があります。西太平洋と中部インド洋の低緯度の海域で 5,000m を超える深さから採集されています。日本からは 2005 年に高知県室戸岬沖 4,000m の深さから1個体が得られています。色は明るめの灰色です。

8000

9000

10000

ミスジオクメウオ

Barathronus maculatus

18cm

生鮮時は橙色で不明瞭な暗色斑が縦列に分布しています。種小名も「斑点のある（maculatus）」。1,500m を超える海域にまで棲息しています。

【アシロ目】
ソコオクメウオ科

アシロ目ソコオクメウオ科に属し、熱帯から亜熱帯にかけて分布しています。眼が皮下に埋もれているから「奥目魚」。周囲の黒い色素からかろうじて眼の場所が分かる程度です。ウロコがなくぷるんとした体をしています。腹ビレは１本の軟条から成ります。

ミスジオクメウオとソコオクメウオとバラスロナス　パルファイティの３種がソコオクメウオ属、コンニャクオクメウオはコンニャクオクメウオ属に属します。

とにかくどれも頼りなげな姿かたちをしていますね。一般に生物は成熟するまでに莫大なエネルギーを要します。深海生物の中には大人になることを諦め、繁殖能力の確保にエネルギーを振り向ける生き方を選択したグループがいます。これを幼体形質または幼生成熟（プロジェネシス）といいます。似た言葉に成長速度が遅い幼形成熟（ネオテニー）という言葉もあります。成熟を途中でやめるか遅いかの違いですね。

オクメウオの仲間は大人になるのを途中でやめてしまいました。ほかには日周鉛直移動をしないオニハダカ類やゲンゲ類が同様の生き方を選んでいます。オクメウオの仲間は一様に体が軟らかく水分を多く含むとともにエネルギーの消費を最小限に留め、その分生殖腺の発達に心血を注ぐのです。お腹から飛び出しているのが生殖器です。あえて体を頑丈にしたり、動作を機敏にしたりといった選択はしなかったんですね。カイアシや海底付近の甲殻類を捕食するので活発に動く必要もなかったわけです。色んな生き方があります。なお近年の分子系統解析でソコオクメウオ科はフサイタチウオ科の一群とされています。

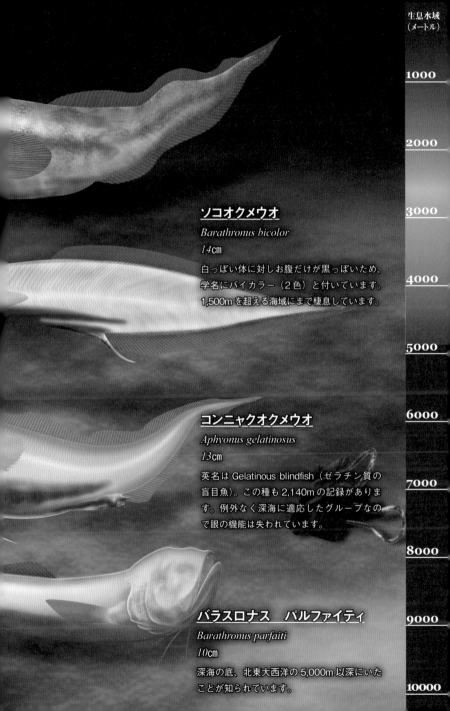

1000

2000

3000

ソコオクメウオ

Barathronus bicolor

*14*cm

白っぽい体に対しお腹だけが黒っぽいため、
学名にバイカラー（2色）と付いています。
1,500m を超える海域にまで棲息しています。

4000

5000

6000

コンニャクオクメウオ

Aphyonus gelatinosus

*13*cm

英名は Gelatinous blindfish（ゼラチン質の
盲目魚）。この種も 2,140m の記録がありま
す。例外なく深海に適応したグループなの
で眼の機能は失われています。

7000

8000

バラスロナス　パルファイティ

Barathronus parfaiti

*10*cm

深海の底、北東大西洋の 5,000m 以深にいた
ことが知られています。

9000

10000

【アンコウ目】
アカグツ科

「フウリュウウオ」の仲間たちですが、どこが風流なんだ、と突っ込みを入れたくなります。アカグツ科の仲間です。「グツ」というのは古語（あるいは地方名）でいうヒキガエルという説と、海底に立てている胸ビレを赤い靴をはいた姿に見立てた説があります。どちらにしてもおよそ魚には見えません。

アカグツ科の科名 Ogcocephalidae は「広がった頭」の意味があります。泳ぎますが普段はこうして海底で平らな体を横たえていてたまに歩くくらいのようです。

ここではクスミアカフウリュウウオとアミメフウリュウウオがアミメフウリュウウオ属に属し、残りの5種類がフウリュウウオ属です。フウリュウウオ属は鼻先が尖っています。背ビレもあります。

クスミアカフウリュウウオ
Halicmetus niger
8.7cm

種小名は「黒い（niger）」、全体的に黒っぽい色をしています。この種には背ビレがありません。

フウリュウウオ
Malthopsis kobayashii
8cm

カギフウリュウウオ
Malthopsis mitrigera
8cm

体の一番幅が広いところの両側（前鰓蓋骨＝ぜんさいがいこつ）に、前を向いた二叉（にさ）の強い棘があります。種小名は「ターバンを巻いた（mitrigera）」、英名は Twospine（2つの棘）triangular batfish。ほかの種類はこの棘がないか、あっても1本という違いがあります。

ワヌケフウリュウウオ
Malthopsis annulifera
9cm

背中に5〜12個の輪っかが散在しています。種小名は「輪のある（annulifera）」。

アミメフウリュウウオ

Halicmetus reticulatus

10㎝

アミメフウリュウウオ属の属名は「海で疲れ果てた（Halicmetus）」、そう見えるんでしょうか。吻端は尖っていません。種小名は「網状（reticulatus）」、英名も Marbled（大理石状の）seabat（海こうもり）。その名の通り体全体に網目模様があります。この種には背ビレがあります。

コワヌケフウリュウウオ

Malthopsis gigas

10㎝

大きくなる種で体長10㎝を超え、種小名は「巨人（gigas）」、英名は Giant triangular batfish といいます。背中に黒い輪紋が散在しています。

ゴマフウリュウウオ

Malthopsis tiarella

6㎝

背ビレ辺りに尾部をぐるりと暗褐色の横帯が巻かれています。背中にも焦げた焼きそばみたいな暗色斑が散らばっています。種小名は「小さなターバン（tiarella）」、英名は Spearnose（槍の吻）seabat。

1000
2000
3000
4000
5000
6000
7000
8000
9000
10000

アカグツ科

アカグツ科の仲間ですが扁平ではなくコロンと
丸みを帯びたユメソコグツ属です。
大きさもニワトリの卵くらいでしょうか。胸ビ
レは後ろの方、尾ビレの近くについています。
全身に細かい棘状の突起が密生しています。
属名は「くぼんだ眉（Coelophrys）」。吻端に
は引っ込んだ誘引突起（ゆういんとっき）を
忍ばせています。
ユメソコグツ属は世界でも10種に満たない小
さなグループです。

ワカタカユメソコグツ

Coelophrys bradburyae
5.8cm

ワカタカユメソコグツは和名の由来となった調
査船「若鷹丸」にて1995年に東北沖太平洋の
600m付近から初めて得られました。パーツは
すべてが小ぶりで小さな眼（つぶらな瞳）、短
い上顎（おちょぼ口）で胸ビレも腹ビレも短め
です。ひび割れたように見えるスジは感覚器
官、生きている時は薄いピンク色をしているそ
うです。非常に珍しい種類です。

ユメソコグツ

Coelophrys brevicaudata
6cm

ユメソコグツの種小名は「短い尾
（brevicaudata)」。沖縄からフィリピン、イ
ンドネシアにかけての西太平洋の数100から
1,000m付近から得られています。

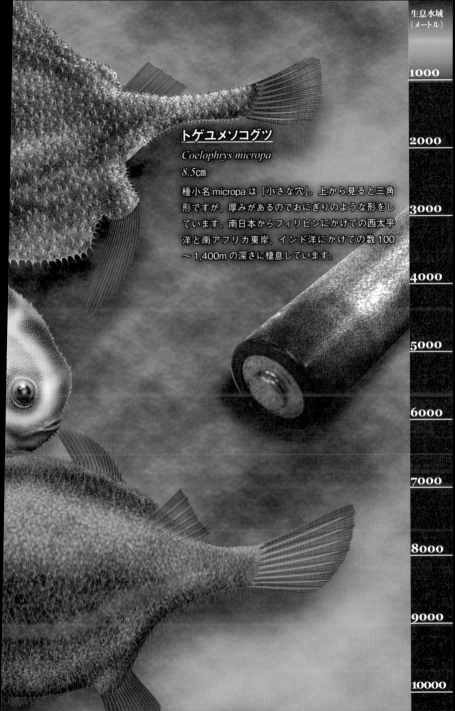

トゲユメソコグツ

Coelophrys micropa

8.5㎝

種小名 micropa は「小さな穴」。上から見ると三角形ですが、厚みがあるのでおにぎりのような形をしています。南日本からフィリピンにかけての西太平洋と南アフリカ東岸、インド洋にかけての数100〜1,400m の深さに棲息しています。

生息水域
（メートル）

1000

2000

3000

4000

5000

6000

7000

8000

9000

10000

フサアンコウ科

フサアンコウ科は世界中に 20 種以上が知られ、誘引突起（ゆういんとっき）の先端に発光しない擬餌状体（ぎじじょうたい）を持ちます。誘引突起は短いので暗っぽい海底では振っても目立ちません。揺らした時の振動で獲物を誘っているのではと考えられています。なおこの誘引突起は背ビレが変形したもので寝かせるとおでこのくぼみに収めることができます。皮膚はしっかりしていて体全体に細かい突起が生えています。市場での流通としてはマイナーな魚ですがサクラフグの名で味もなかなか美味だそうです。

この 3 種はフサアンコウ属。属名 Chaunax は「ほら吹き、自慢屋」を意味します。危険を察知すると海水を吸い込んでフグのように体を膨らませます。それがふてぶてしく見えたのでしょうか。フグと異なるのは、海水を取り込むところが胃ではなく鰓室（さいしつ）という、人でいえば肺にあたるところだという点です。

たまに胸ビレを使って海底を歩きますが、ほとんど動きません。歩きすらしないのに泳ぐなんてもってのほかです。

ホンフサアンコウ

Chaunax fimbriatus
20㎝

種小名は「縁毛で飾られた（fimbriatus）」。英名は Tassled coffinfish、「房がついた棺桶サカナ」。

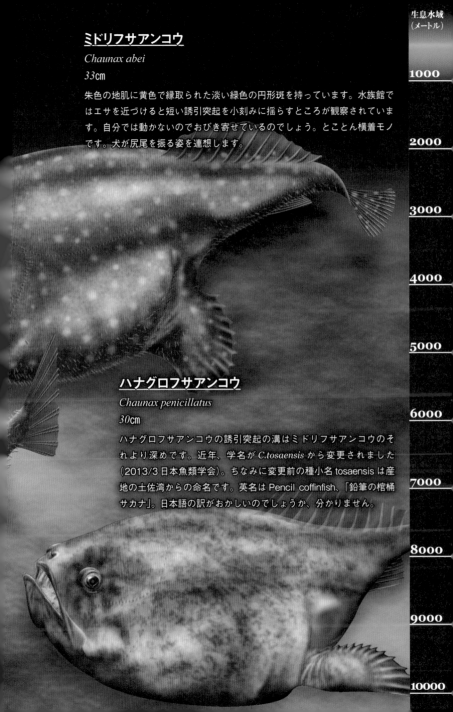

生息水域
（メートル）

1000

2000

3000

4000

5000

6000

7000

8000

9000

10000

ミドリフサアンコウ

Chaunax abei

*33*cm

朱色の地肌に黄色で縁取られた淡い緑色の円形斑を持っています。水族館ではエサを近づけると短い誘引突起を小刻みに揺らすところが観察されています。自分では動かないのでおびき寄せているのでしょう。とことん横着モノです。犬が尻尾を振る姿を連想します。

ハナグロフサアンコウ

Chaunax penicillatus

*30*cm

ハナグロフサアンコウの誘引突起の溝はミドリフサアンコウのそれより深めです。近年、学名が *C.tosaensis* から変更されました（2013/3 日本魚類学会）。ちなみに変更前の種小名 tosaensis は産地の土佐湾からの命名です。英名は Pencil coffinfish、「鉛筆の棺桶サカナ」。日本語の訳がおかしいのでしょうか、分かりません。

エナシビワアンコウ

Ceratias uranoscopus
*24*cm

擬餌状体（エスカ）に糸状皮弁（い
とじょうひべん）がありません。

ミツクリエナガチョウチンアンコウ

Cryptopsaras couesii
*30*cm

1属1種です。英名は Triplewart（3つのイボ）
seadevil。

ビワアンコウ

Ceratias holboelli
*120*cm

体形が雅楽で使う琵琶に似ているところからの
命名です。果物のビワ（枇杷）にも見えますが
厚みがなく側扁しているので楽器の方が言い得
ているでしょう。属名 Ceratias はギリシャ神
話に登場する酒の神 kerasphoros からだとされ
「角を持つもの」の意味を持ちます。擬餌状体
の先端に3分岐した1本の糸状皮弁がありま
す。1,000m 付近を漂っていますが4,000m か
らの記録もあります。1m を超える大型種です。

【アンコウ目】
ミツクリエナガ
チョウチンアンコウ科

大型になるミツクリエナガチョウチンアンコウ科の仲間です。彼らは「真性寄生型」でオスがメスに完全に寄生してしまいます。1匹のメスに複数のオスが付いていることもあります。

矮雄（わいゆう）がかみつくとメスは特殊な酵素を分泌し、オスの唇とメスの皮膚血管が融合してオスはメスから栄養を得るようになります。やがてメスのホルモンの影響で眼や内臓は退化、呼吸も停止し精巣だけが発達します。産卵期になると血液を通してホルモンが送られ、オスから放精がおこなわれ、オスは用が済んだらただのイボになってしまいます。

背ビレ直前にコブを持ち、誘引突起（イリシウム）とこのコブはつながっています。稚魚はボール状でこの段階から誘引突起の有無で性別を判別することができます。

ミツクリエナガチョウチンアンコウは背ビレの前に肉質突起が3個あります。ちなみにビワアンコウとエナシビワアンコウは2個。この科は2属4種のみのグループでここに登場したのがすべてです。

ケラティアス　テンタクラタス
Ceratias tentaculatus
51cm

南極海周辺の100～2,900mに棲息しています。英名はSouthern seadevil。

1000

2000

3000

4000

5000

6000

7000

8000

9000

10000

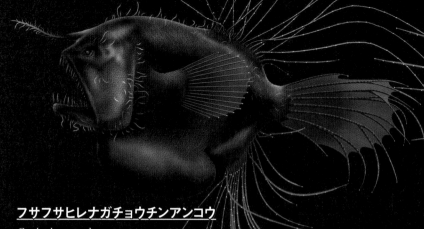

フサフサヒレナガチョウチンアンコウ

Caulophryne polynema

14cm

大西洋と東部太平洋に棲息しています。

【アンコウ目】

ヒレナガチョウチン
アンコウ科

ここに紹介したのはヒレナガチョウチンアンコウ科の仲間たち、といっても仲間は
少なくて2属5種ほどが知られているにすぎません。ちなみにケナシヒレナガチ
ョウチンアンコウは未記載種です。長い背ビレ鰭条（きじょう）と尻ビレ鰭条を持
ちます。その鰭条には膜がなく側線器官といわれています。これでわずかな水の振
動をキャッチするのでしょう。

属名 Caulophryne は「茎＋ヒキガエル」の意。誘引突起（イリシウム）の先端に
発光器はありません。誘引突起というのはおでこから突き出た棹のことです。チョ
ウチンアンコウなのに提灯が光らない、つまり誘うための囮（おとり）が使えな
い。ということは捕食生物は目視で捉えるか、この長い鰭条で水流のかすかな動き
を感知して獲物の接近を知るかですね。

チョウチンアンコウの仲間は小さなオス、矮雄（わいゆう）がメスに寄生すること
で知られています（一部は寄生しません）。その寄生の形も様々あってヒレナガチ
ョウチンアンコウ科は「任意寄生型」といって寄生してもしなくてもいいタイプの
ようです。ちなみに寄生した場合はメスと完全に結合してしまいます。

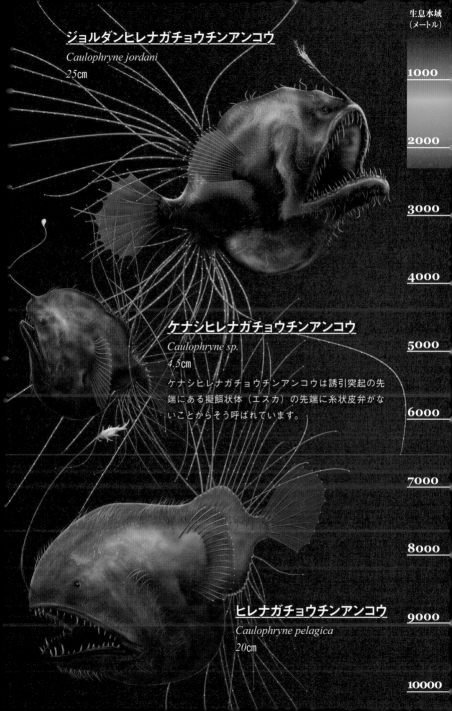

生息水域
（メートル）

1000

2000

3000

4000

5000

6000

7000

8000

9000

10000

ジョルダンヒレナガチョウチンアンコウ
Caulophryne jordani
25cm

ケナシヒレナガチョウチンアンコウ
Caulophryne sp.
4.5cm

ケナシヒレナガチョウチンアンコウは誘引突起の先
端にある擬餌状体（エスカ）の先端に糸状皮弁がな
いことからそう呼ばれています。

ヒレナガチョウチンアンコウ
Caulophryne pelagica
20cm

アクマオニアンコウ

Linophryne lucifer

19.3㎝

誘引突起（イリシウム）の先端、擬餌状体（エスカ）のさらに先端から付属糸が分岐しています。顎ヒゲの先端は2枚の葉っぱのような分岐をしています。北太平洋から知られています。

オニアンコウ

Linophryne densiramus

9㎝

英名 Thickbranch（太い枝）angler。種小名 densiramus は「密生した枝」。誘引突起は比較的短めですが球形の擬餌状体は長いという特徴があります。先端には長短2本の皮弁があり長い方は多くの糸が生えています。顎ヒゲも長く細かく分岐します。

インドオニアンコウ

Linophryne indica

5㎝

1本のヒゲを持ちます。英名は Headlight angler。

ヒゲモジャオニアンコウ

Linophryne polypogon

10㎝

ヒゲモジャオニアンコウの種小名は「ヒゲの多い（polypogon）」。名は体を表していますね。

1000

ヒガシオニアンコウ

Linophryne coronata

16.8㎝

擬餌状体は先端が二叉（にさ）に
なっています。また顎ヒゲは長い
1本の幹で先端が細かく分岐して
います。

2000

3000

ニシオニアンコウ

Linophryne algibarbata

23.1㎝

ニシオニアンコウの顎ヒゲは4本
が細かく枝分かれしています。主
に北方大西洋に棲息しています。

4000

5000

【アンコウ目】

オニアンコウ科

6000

鬼のような角（蝶耳骨、ちょうじこつ）があることから名付けられたオニ
アンコウ科の仲間です。5つの属からなり30種近くが知られています。チ
ョウチンアンコウ亜目の約15%を占め、ラクダアンコウ科の次に多くの種
類を抱えるグループです。

7000

角の他に顎ヒゲを持ち、先端に向かうに従い分岐していく特徴があります。
この顎ヒゲはバーベルと呼ばれます。
彼らのオスは矮雄（わいゆう）でメスを見つけたらすかさず食らいつき、
お互いの組織を完全に結合させる「真性寄生型」です。矮雄は望遠眼で鼻
も発達しています。見つけられなければ生きられないので嗅覚で必死にメ
スを探しているわけです。

8000

ここに登場するのはオニアンコウ属の仲間で20種以上が知られています。
属名 Linophryne は「網＋ヒキガエル」の意。

9000

10000

【アンコウ目】
ラクダアンコウ科

ラクダアンコウ科はチョウチンアンコウ亜目の中で4割を占める最大派閥です。一部の種類、ここではラクダアンコウ属（Chaenophryne）の3種には蝶耳骨（ちょうじこつ）という角がありません。チョウチンアンコウ亜目では最も多様化が進んだグループで、繁殖形態は一時的にくっつくけれど組織は結合しないでいずれ離れてしまう「一次付着型」と、寄生してもしなくてもよい「任意寄生型」の2タイプがいます。

フィロリニクティス　バルスキニ

Phyllorhinichthys balushkini

13.2㎝

擬餌状体（エスカ）に特徴があります。前方に1対の突起、後方には体長の半分ほどもある長い管状の突起があります。北半球の大西洋、深さ2,600～3,200m辺りを漂っています。

スベスベラクダアンコウ

Chaenophryne longiceps

24.5㎝

その名の通り体表面がすべすべしています。種小名longicepsは「長い頭」。英名はCan-opener smoothdream（なめらかな）。缶切りの由来は何でしょうか。オスの口先の形から？　メスに食らいつくため確かにカギ状になっています。

生息水域
（メートル）

ハナビララクダアンコウ

Phyllorhinichthys micractis

14cm

フィロリニクティス　バルスキニと同じハ
ナビララクダアンコウ属に属しますが擬餌
状体は丸く先端の長い突起は短めです。3本
の突起と短いヒゲが付いています。子供の
頃は眼の前方下に1本の葉状のパーツがぶ
ら下がっています。太平洋、大西洋、イン
ド洋の三大洋、深さ 1,000 ～ 3,000 数百m
付近から知られています。

1000

2000

3000

4000

ラクダアンコウ

Chaenophryne draco

12.3cm

属　名 Chaenophryne は
「口を大きく開けたガ
マ」、種小名は「ドラゴン
（draco）」、英名は Smooth
dreamer。世界中の海洋の
数 100 ～ 1,500m 付近に
棲息しています。

5000

6000

7000

8000

9000

カエノフィリネ　メラノラブダス

Chaenophryne melanorhabdus

10.2cm

太平洋の深海 1,000 m付近から知られています。

10000

ラシオグナサス　サッコストマ

Lasiognathus saccostoma

7.7cm

擬餌状体（エスカ）途中にあるカギ状フックの本数は３本です。この仲間は擬餌状体の形態の違いで区別することができます。大西洋、東太平洋の4,000mまでの深さに棲息しています。いずれも矮雄（わいゆう）がメスにくっつくタイプですが「一次付着型」で繁殖期だけ寄生し、時期が過ぎると離れます。

キバアンコウ

Neoceratias spinifer

6cm

チョウチンアンコウの仲間の専売特許、誘引突起（イリシウム）や擬餌状体がありません。プランクトンをこのサボテンのような乱杭歯（らんぐいば）で絡めとっていると推測されています。この種の種小名 spinifer も「棘に覆われた」の意味があります。オスはメスに完全に依存する「真性寄生型」です。日本近海では四国南方沖や沖縄列島周辺で棲息が確認されています。水深は 2,000m まで。英名は Spiny seadevil。人の小指ほどの大きさしかありません。

ザラアンコウ

Centrophryne spinulosa

23cm

頭が極端に大きく、くぼんだ眼は垂れ目です。体表面が微小な棘（きょく）に覆われていてざらざらすることからの命名です。種小名も「小さな棘のある（spinulosa）」です。英名は Horned（角のある）lantern fish。小さなオス、矮雄（わいゆう）は「一次付着型」として繁殖期だけ寄生します。数 100m から 2,000m を超える深さから知られています。

デバアクマアンコウ

Lasiognathus amphirhamphus
15.7cm

頭の上に2対、口の根元に2本の鋭い棘があります。擬餌状体の途中にカギ状に湾曲した2本の爪を持ちます。大西洋やハワイ、東部太平洋の1,000m以深から得られています。

生息水域
（メートル）

1000

2000

3000

4000

【アンコウ目】
タウマティクチス科、キバアンコウ科、ザラアンコウ科

5000

6000

チョウチンアンコウの仲間の中でもかなり変わり者の部類に入るでしょう。チョウチンアンコウ亜目は現在11科に分けられ、そのすべてのオスが矮雄です。ザラアンコウ科は1属1種。キバアンコウも1属1種です。

7000

ひときわ変わっているのはタウマティクチス科ラシオグナサス属です。属名 Lasiognathus は「毛深い顎」。口の周りにずらりと並んだ歯を形容しています。日本からは知られていません。長い竿（誘引突起）は体長の半分におよび、後ろに伸びた鞘（さや）に納めることができます。下顎と比較して大きく突出した上顎を持ち、めくれたようになっています。この唇のような部分はプレマクシラ（premaxilla）といいます。下顎側に覆いかぶせることができるので鋭い歯を檻がわりにして捕らえたエサ生物を逃さない工夫がなされていると考えられています。ラシオグナサス属は6種ほどが記載されています。

8000

9000

10000

【アンコウ目】
シダアンコウ科

体は流線形、総称 Whipnose（鞭の鼻）anglers と呼ばれ、見た目が想像するチョウチンアンコウの仲間よりもスマートです。シダアンコウ科はシダアンコウ属と Rhynchactis（リンカクティス）属の２属から成り、20 種以上が知られています。

シダアンコウ属の属名 Gigantactis は「巨大な鰭」で鼻先は尖っており、誘引突起（イリシウム）の先端には発光バクテリアによる生物発光をおこなう擬餌状体（エスカ）があります。一方の Rhynchactis 属は「吻＋鰭」の意味で鼻先は尖っていません。また誘引突起の先端にははっきりした擬餌状体がありません。わずかなフィラメントだけなので発光もしないとされています。

ここに紹介したのはすべてシダアンコウ属です。

そして想像もしなかった習性が観察されています。海底直上でお腹を上にあおむけになって吻端の長い竿（誘引突起）を海底まで垂らし、じっとしているのです。潜水艇が近づくと普通の姿勢で逃げていきます。おそらくこうして海底上の、あるいは浅く埋もれたエサ生物を探しているのだと思われます。

シダアンコウ科の仲間はオスが小さいいわゆる矮雄（わいゆう）ですがメスに寄生している個体は観察されていません。おそらく寄生は一切しない「自由生活型」と考えられています。

ロウソクモグラアンコウ

Gigantactis elsmani

38㎝

竿の先端に白い数本のヒゲが生えていて根元の１対、先端の２対を燭台のロウソクに見立てた命名になっています。

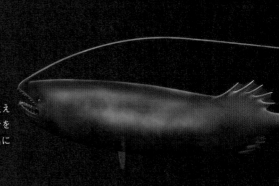

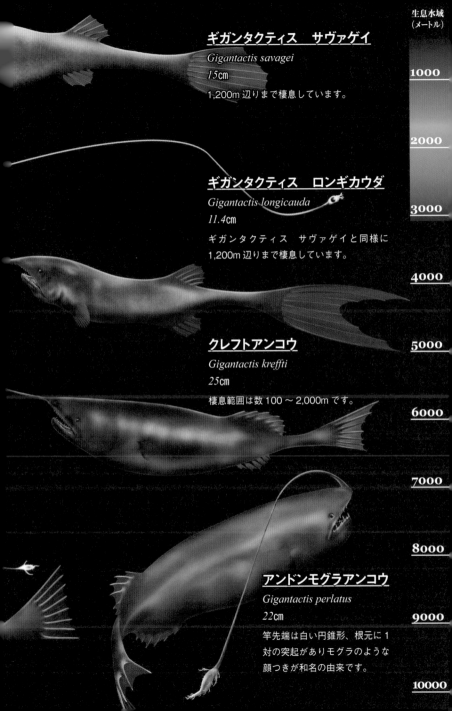

生息水域
(メートル)

1000

2000

3000

4000

5000

6000

7000

8000

9000

10000

ギガンタクティス　サヴァゲイ

Gigantactis savagei
*15*cm

1,200m 辺りまで棲息しています。

ギガンタクティス　ロンギカウダ

Gigantactis longicauda
*11.4*cm

ギガンタクティス　サヴァゲイ と同様に
1,200m 辺りまで棲息しています。

クレフトアンコウ

Gigantactis kreffti
*25*cm

棲息範囲は数 100 〜 2,000m です。

アンドンモグラアンコウ

Gigantactis perlatus
*22*cm

竿先端は白い円錐形、根元に 1
対の突起がありモグラのような
顔つきが和名の由来です。

【アンコウ目】
タウマティクチス科

アンコウ目のチョウチンアンコウ亜目は 11 科 35 属 160 種以上が記載されており、そのほとんどは外洋深層に適応しています。例外がこの底生のタウマティクチス科です。全世界の大洋から知られていますが日本近海からの報告はありません。「不思議な魚（Thaumatichthys）」という学名の通り、変わり者のチョウチンアンコウの仲間の中でも突出して奇抜なグループです。

タウマティクチス属は 3 種ほどが知られているにすぎず、ここに紹介した種以外では T.binghami がカリブ海周辺の西部中央大西洋、3,200m の深さに棲息しています。

普段は海底で辛抱強くエサを待ちます。誘い込む手段はほかのチョウチンアンコウの仲間同様、提灯を使うのですがその使い方が変わっています。吻端の擬餌状体（エスカ）を下に折り曲げて、左右に分かれている上顎の間から口の中にぶら下げ、ぽぉっと光らせます。誘蛾灯（ゆうがとう）のような感じですね。相手の方から口の中に近づいてきてくれるわけです。

下顎は短いのでかみ切ることはできません。口が閉じられないのでおそらく歯は檻の役目をしていると考えられます。左右の上顎を包み込むようにして閉じ込めるわけです。小さい眼は大きな口の両端、口角の辺りに付いています。

これらの矮雄（わいゆう）は「一次付着型」です。成魚は底生性ですが仔稚魚は表層で過ごし成長とともに深みへと生活の場を移動させます。オスの体長は 4 〜 5cm ほどで細長く、嗅覚器官が発達しています。また擬餌状体はなく、口の先端には長いフック状の歯を持っています。

タウマティクチス　アクセリ

Thaumatichthys axeli

45cm

東太平洋の 3,600 m の深さから知られてい
ます。

生息水域
（メートル）

1000

2000

3000

4000

5000

6000

7000

8000

9000

10000

タウマティクチス　パギドストムス

Thaumatichthys pagidostomus

30cm

最初の記載は東南アジアスラウェシ沖の 1,440 m か
ら得られました。上顎がタウマティクチス　アクセ
リより長めという違いがあります。

アカンソカエナス　ルエトケニィ

Acanthochaenus luetkenii

14.1cm

カンムリキンメダイ科 Acanthochaenus 属の1属1種です。英名は Pricklefish（棘魚）。三大洋の温帯、亜熱帯1,600〜5,400mの深さで知られています。マダガスカルリッジから得られた10cm弱の個体からは底生の軟甲綱（カニ）が見つかっているので海底近くを遊泳しているのかもしれません。また稚魚が表層で観察されています。

ヒースピドベーリュクス　アムバギオサス

Hispidoberyx ambagiosus

18.1cm

ヒースピドベーリュクス科、舌をかみそうな名前ですが、東インド洋と西太平洋の限られた地域の中深層から1,000m付近に棲息している1属1種の稀種です。南方系の種類でエビなどの甲殻類を捕食しています。ヒレはすべて小さめ、ウロコは針状になっています。

【クジラウオ目】

カンムリキンメダイ科、
ヒースピドベーリュクス科、
フシギウオ科

クジラウオ目はカンムリキンメダイ目とも呼ばれ、カブトウオやクジラウオが有名です。ここではそれら以外のカンムリキンメダイ目の仲間を紹介します。

フシギウオ

Gibberichthys pumilus
11cm（稚魚3cm［左下］）

フシギウオはフシギウオ科に属し1属2種が知られています。属名Gibberichthysは「せむし＋魚」。ただGibberには「訳のわからない」意味もあるようです。

頭部は骨質の隆起に覆われていて背ビレ腹ビレ尾ビレの各ヒレの前方に遊離した棘条（きょくじょう）が生えています。ウロコは剥がれやすい円鱗です。

さてフシギウオと名付けざるを得なかった理由が稚魚の姿にあります。あまりにも成魚と違うので昔は独立した種類（*Kasidoron edom*）とされていました。腹ビレがヒモ状に極端に伸び、先端に房状の器官がブドウのように連なっています。これは一説ではクラゲに擬態しているのではといわれています。

稚魚の時代はカシドロン期と呼ばれ表層で生活しています。親はメキシコ湾からブラジルにかけて西大西洋の熱帯から温帯にかけて1,100mまで棲息しています。

カンムリキンメ

Stephanoberyx monae
8.1cm

一見するとカブトウオ科の仲間にも見えますがカンムリキンメはカンムリキンメダイ科に属し、1属1種の珍しい種類です。メキシコ湾からカリブ海にかけて、西部大西洋の中層から5,000m近くまでに局地的に偏在しています。頭の上に冠状の隆起があり、尾柄部の背中側、お腹側に9〜12本の棘があります。また腹ビレは小さくウロコは円鱗と棘に覆われています。

1000

2000

3000

4000

5000

6000

7000

8000

9000

10000

【クジラウオ目】
カブトウオ科

カブトウオ科は頭部に棘や骨質の隆起が発達している
のが特徴で、それを兜になぞらえて名前が付けられてい
ます。その反面、円鱗（えんりん）のウロコは見た目と違
って脆弱で剥がれやすくなっています。英名は Bigscale
fish。発光器はありません。5つの属に分類され、ここで
はヨロイギンメのみがヨロイギンメ属、それ以外の5種
はカブトウオ属に属します。残りはタテカブトウオ属、
ホンカブトウオ属とSio属に分けられています。

ヨロイギンメ

Scopelogadus mizolepis

8cm

頭部の冠や鼻先の棘はありません。全世界の大洋の熱帯域、3,000 m
を超えた辺りまでから得られています。英名は Ragged（不規則な、ぼ
ろぼろの）bigscale。頭の方から尾ビレの方まで走るウロコの数（縦列
鱗数・じゅうれつりんすう）は 14 枚程度と少なめです。いずれも 10
cm前後の大きさで浮遊性の甲殻類などをエサとしていますが自らもよ
り大型生物に捕食されています。

チシマカブトウオ

Poromitra curilensis

11cm

頭部には冠状の突起はなくのっぺりしています。棲息
域は北日本からアラスカにかけての冷たい海域で深さ
は最深 8,000 mからの記録があります。

オオメカブトウオ

Poromitra megalops

6cm

種小名は「大きな眼（megalops）」。大きな眼が特徴で
す。インドから太平洋にかけての 3,000 mを超えた辺
りから知られています。

カブトウオ

Poromitra cristiceps

*14*cm

頭部には冠（かんむり）状の隆起があり、種小名は「トサカ頭の (cristiceps)」です。北半球側の太平洋、3,000 mを超える深さから知られています。

1000

2000

3000

4000

チヒロカブトウオ

Poromitra oscitans

*8.2*cm

漢字では千尋兜魚。千尋の尋は長さの単位で、千尋は 1,800 mくらいになりますが、実際はさらに深い、太平洋とインド洋の熱帯域の水深 4,500 mまでの深さから得られています。種小名は「口を大きく開けている（oscitans）」で眼は小さめです。

5000

6000

7000

フトヅノカブトウオ

Poromitra unicornis

*10*cm

学名に伝説上の生き物、額に角を持つユニコーン（Unicorn）の名を持ちます。実際おでこのところにある前向きの棘（鼻間棘＝びかんきょく）は太く目立っています。西太平洋から中央太平洋にかけての熱帯域、5,000 mまでの深さに棲息しています。

8000

9000

10000

アカチョッキクジラウオ

Rondeletia loricata

10㎝

肩の辺りに鮮やかな赤い帯がかかっていると
ころからの命名です。種小名では「甲冑をつ
けた（loricata）」になっています。また体の
表面に背中からお腹にかけて乳頭状の感覚器
官が何列か並んでいます。英名は Redmouth
whalefish。ワールドワイドの数100 ～ 3,000
ｍを超える深さから記載されています。

アンコウイワシ

Rondeletia bicolor

11.2㎝

色合いは地味ですが種小名には「2色の
（bicolor）」と付いています。アカチョッ
キクジラウオが2色に色分けされている
のでこの学名は紛らわしいですね。眼の
上に前向きの棘をもつことがアカチョッ
キクジラウオとの違いです。西大西洋の
北半球側3,000ｍまでの深さに棲息して
います。言うまでもなくアンコウともイ
ワシとも全く関係ありません、かすりも
しません。

【クジラウオ目】
アンコウイワシ科、
アカクジラウオダマシ科

クジラウオ目は大きくクジラウオ上科とカンムリキンメダイ上科に分類されます。さらにクジラウオ上科はクジラウオ科とアンコウイワシ科、アカクジラウオダマシ科、フシギウオ科から成ります。クジラウオ（鯨魚）は英名もWhalefish といい何とも大げさな名前ですがもちろんサイズのことではありません。頭部と口が大きく、ウロコがない体形から鯨を連想しました。

ここに登場するのはアンコウイワシ科とアカクジラウオダマシ科です。前者はアンコウイワシ属であるアカチョッキクジラウオとアンコウイワシの1属2種のみが知られています。

1000

2000

3000

4000

5000

6000

7000

8000

9000

10000

アカクジラウオダマシ
Barbourisia rufa
30cm

1属1種、こちらも珍しい魚です。体の表面は細かいビロード状の棘に覆われています、ウロコではありません。そこから英名はVelvet whalefish。側線は大きな管状に開いています。種小名は「赤い (rufa)」。全世界の海洋、数100〜2,000mの中深層を遊泳しているので赤い体は相手からは真っ黒に見えています。というかほとんど見られていません。

クジラウオ

Cetichthys parini

19cm

5,000 mまでの深さに棲息、
マリアナ海溝、千島列島、北
米西岸沖、ジャワ海溝、と分
布は散らばっています。

マボロシクジラウオ

Cetichthys indagator

13cm

日本海溝西の4,000 m以深か
らも得られています。

ソコクジラウオ

Vitiaziella cubiceps

5cm

トクビレイワシ

Mirapinna esau

5.5cm

リボンイワシ

Eutaeniophorus festivus

体長6cm全長81cm

生息水域
（メートル）

1000

2000

3000

4000

5000

6000

7000

8000

9000

ホソミクジラウオ

Cetostoma regani

24cm

中央がくびれていて細長い体型をしています。ミトゲノムの解析でリボンイワシとほぼ同一の配列であることが分かりました。つまり親がホソミクジラウオ、子がリボンイワシということになります。成長にしたがい腹ビレが消失します。属名 Cetostoma はギリシャ神話に登場する海の怪物「ケートス（ketos）の口」の意。

【クジラウオ目】
クジラウオ科

紹介するのはクジラウオ科とトクビレイワシ科とソコクジラウオ科の3科です、と言いたいところですが"ちょっと待った"です。

最新のミトコンドリアゲノム全長配列の系統解析の結果、クジラウオ科はメス、ソコクジラウオ科はクジラウオ科のオス、トクビレイワシ科は同じくその子供、であることが判明しました。

ソコクジラウオ科はこれまで4属4種が知られていました。嗅覚器官が肥大で英名は bignose。上顎が動かせずモノを食べられません。胃も食道もなく大きな肝臓と精巣を持っています。ウロコはモザイク状で腹ビレはありません。ちなみにウロコはクジラウオ科とトクビレイワシ科にはありません。メキシコ湾の1,500〜2,000mの深さで採取されたソコクジラウオはないはずの腹ビレが痕跡的に認められ、変態前のトクビレイワシの名残が残っていました。種小名 cuviceps は「立方体の頭」。そしてクジラウオ科の稚魚であることが判明したトクビレイワシの英名は Hairyfish、毛深い魚です。万歳しているように見えるのは腹ビレですが成長とともになくなります。一方にある特徴が他方にない、一方にない特徴が他方にはある、これほど惑わされる生き物も珍しいです。

ホソミクジラウオの稚魚であるリボンイワシの属名 Eutaeniophorus は「豊かな紐」、英名 Tapetail。ストリーマ（streamer）と呼ばれる異様に長い尾が目立ちます。イラストはカイアシを食べてお腹がパンパンに膨らんでいる状態です。表層で観察されることがあります。

【キンメダイ目】
キンメダイ科

説明の必要のない高級魚ですね。
キンメダイ、フウセンキンメ、ナンヨウ
キンメの3種がキンメダイ属として知ら
れています。

フウセンキンメ
Beryx mollis
30㎝

釣り上げた時、風船のように膨らむこと
が名前の由来とされています。体高はキ
ンメダイとナンヨウキンメの中間くらい
の高さであり、後鼻孔（こうびこう）が
楕円形に近い形（キンメダイはスリット
状）であること、さらに背中側のウロコ
の先端がぎざぎざしている（キンメダイ
は円滑）点が両者の違いです。棲息域は
西太平洋や西インド洋の深さ数100m付
近で、キンメダイよりは範囲が狭いよう
です。種小名 mollis は「柔らかい」。

ナンヨウキンメ
Beryx decadactylus
30㎝

ナンヨウキンメはキンメダイとフウセンキンメの2種
より体高が高いという特徴があります。東太平洋を除
く全世界の温帯域で1,000m付近まで棲息していま
す。種小名 decadactylus は「10本の指」。この由来
についてはよく分かりません。一般に南方系とされま
すが日本では富山湾からの報告もあります。

キンメダイ

Beryx splendens
50cm

その名の通り金色に輝く大きな瞳が最大の特徴です。その正体は網膜の下にあるタペータムで、ここに反射した光が外に出て金色に光って見えています。ネコなどの夜行性哺乳類の眼が照らされた光を反射するのと同じです。漁業資源として活発に流通していますが、成長が遅く長寿命なのでどうしても乱獲による数の増減に敏感にならざるを得ない宿命を背負っています。全世界に分布、表層から1,000m以深まで棲息しています。種小名splendensは「輝いている」。

キンメダマシ

Centroberyx druzhinini
30cm

キンメダマシ属。キンメダイ属と比較して色味はさほど鮮やかな赤色ではなく山吹色です。また背ビレの棘条（きょくじょう）が5～7本でキンメダイ属の4本より多めであり、さらに涙骨（るいこつ）といって眼の前方の骨に鋭い棘がない点でも区別できます。西太平洋の水深300mと比較的浅めの海域に生息しています。体長もあまり大きくなりません。キンメダマシ属はキンメダイ属より種類は多く世界で7種ほどが知られています。

1000

2000

3000

4000

5000

6000

7000

8000

9000

10000

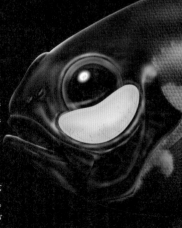

【キンメダイ目】
ヒカリキンメダイ科

キンメダイ科は外からの光を反射させることで、あたかも目玉が光っているように見えますが、ヒカリキンメダイ科は共生させているバクテリアの作用で自身が光を放っています。ただ、光っているのは眼ではなく、その下にある発光器によるものです。種類によって発光原理が異なります。

オオヒカリキンメ

Photoblepharon palpebratum

12cm

背ビレは1基。英名は Eyelight fish 。日本からは2013年に沖縄の洞窟で棲息が確認されました。ヒカリキンメダイとほぼ同じ中西部太平洋の暖かい海域に棲息しています。

この種は下からまぶたのような膜を引き上げることで発光器を点滅させています。ロールカーテンの原理ですね。ちなみに寝ている時は閉じたまま、やっぱりまぶしいのはいやなんでしょうか。

また発光器本体をまるでリトラクタブルライトのように前方に広げてエサを探すことができます。さらに危険が迫ると点滅が速くなって仲間に警戒を促します。普段、群れている時は1列に整列していますが外敵が近づくと一斉に消灯し、散り散りになってから再び点灯することで敵の眼をあざむいています。連係プレーは見事です。夜行性で比較的浅いサンゴ礁に出現し、明るい月夜には深みの岩礁に潜行します。

生息水域
（メートル）

1000

2000

3000

4000

5000

6000

7000

8000

9000

10000

ヒカリキンメダイ

Anomalops katoptron

17㎝

発光器はソラマメ型。発光バクテリアは光りっ
ぱなしなので、この発光器を内側にクルンと反
転させることで点滅させているように見せます。
背ビレが２基あって、Two-fin flashlight fish と
呼ばれます。日本産のヒカリキンメダイは海外
産に比べて大きく、深いところに棲息している
傾向があります。属名 Anomalops は「異常な
眼」、種小名 katoptron は「鏡」。日本から中西
部太平洋にかけて棲息しています。

アノプロガスター　ブラキィケラ

Anoplogaster brachycera

6cm

アノプロガスター　ブラキィケラは幼魚の時代の角がオニキンメより
も短いことが種小名の英名（Shorthorn fangtooth）にも表わされてい
ます。棲息域は西太平洋と西大西洋の熱帯地方で 1,500m 付近に棲息
しています。大きさはオニキンメより小ぶりですがこれは成熟してい
ない個体の数値だと思われます。

オニキンメ

Anoplogaster cornuta

9cm（稚魚2.6cm［下］）

属名は「武装していない（anoplos）＋腹部（gaster）」の意味があり
ます。一方、種小名 cornuta は稚魚時代の名残から「角のある」、英名
は成魚になってからの特徴から Common fangtooth（牙）。待ち伏せ型
ではなく積極的に狩りをし、自らはマグロ属（Thunnus）などの大型
魚に捕食されています。

小魚やエビ、イカを欲張って捕食するので口の中が塞がり水を効率的
に送り込めなくなります。なのでエラを思いっきり広げ、胸ビレを使
って後ろから水を送り込みます。

太平洋、大西洋、インド洋の世界中の温帯域から知られ、5,000m の
深さまで棲息が確認されています。日本近海では北海道から東北の太
平洋側で得られています。幼魚は小笠原諸島沖の大型魚の胃の中から
知られていましたが、成魚は襟裳岬沖深さ 850m から得られた個体が
北太平洋北西部からの初記録として 1978 年に記載されました。

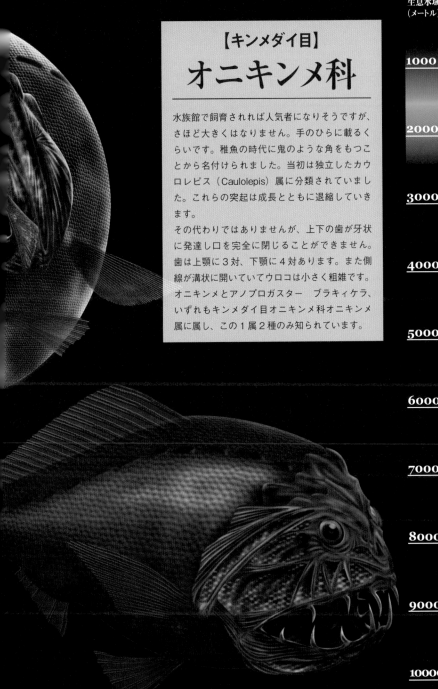

生息水域
(メートル)

1000

2000

3000

4000

5000

6000

7000

8000

9000

10000

【キンメダイ目】
オニキンメ科

水族館で飼育されれば人気者になりそうですが、さほど大きくはなりません。手のひらに載るくらいです。稚魚の時代に鬼のような角をもつことから名付けられました。当初は独立したカウロレピス（Caulolepis）属に分類されていました。これらの突起は成長とともに退縮していきます。

その代わりではありませんが、上下の歯が牙状に発達し口を完全に閉じることができません。歯は上顎に３対、下顎に４対あります。また側線が溝状に開いていてウロコは小さく粗雑です。オニキンメとアノプロガスター　ブラキィケラ、いずれもキンメダイ目オニキンメ科オニキンメ属に属し、この１属２種のみ知られています。

【マトウダイ目】
ベニマトウダイ科、
ソコマトウダイ科

いずれも数 100m の大陸棚や大陸斜面の海底に近いところにいます。マトウダイ目は 6 科に分類され 30 数種が知られています。ベニマトウダイとカゴマトウダイはベニマトウダイ科に属します。ベニマトウダイ属はこのベニマトウダイ 1 属 1 種だけです。属名 Parazen は「Zen（ゼウス神）属に近いもの」。カゴマトウダイ属は 3 種ほどが知られ、やはり口の伸縮を利用して小さな魚や甲殻類を一瞬で吸い込みます。

次にソコマトウダイとアオマトウダイはソコマトウダイ科に属します。ソコマトウダイ属の属名も Zen- で「ゼウス神」の意。背ビレと尻ビレの基底に骨質板がありますが、腹ビレと尻ビレの間にはありません。とにかく眼力 (めぢから) が半端じゃありませんね。頭のほとんどが「眼」です。口は伸びます。またエラ部分、前鰓蓋骨（ぜんさいがいこつ）に後ろ向きの棘があります。さらに腹ビレに鋭い棘条（きょくじょう）があることでベニマトウダイ科と区別できます。英名は Japanese dory。

カゴマトウダイ

Cyttopsis rosea

16㎝

種小名 rosea は「バラ色の」、英名も Rose dory。お腹の中心線上にある鋭い棘がバラを連想したところからの命名です。背ビレと尻ビレの基底に加え、腹ビレと尻ビレの間に骨質板があります。棲息域はおおよそベニマトウダイと同じです。

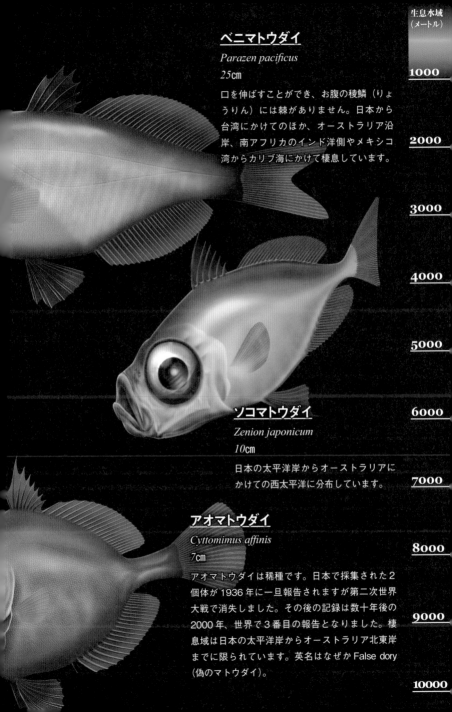

ベニマトウダイ

Parazen pacificus

25cm

口を伸ばすことができ、お腹の稜鱗（りょ
うりん）には棘がありません。日本から
台湾にかけてのほか、オーストラリア沿
岸、南アフリカのインド洋側やメキシコ
湾からカリブ海にかけて棲息しています。

ソコマトウダイ

Zenion japonicum

10cm

日本の太平洋岸からオーストラリアに
かけての西太平洋に分布しています。

アオマトウダイ

Cyttomimus affinis

7cm

アオマトウダイは稀種です。日本で採集された2
個体が1936年に一旦報告されますが第二次世界
大戦で消失しました。その後の記録は数十年後の
2000年、世界で3番目の報告となりました。棲
息域は日本の太平洋岸からオーストラリア北東岸
までに限られています。英名はなぜか False dory
（偽のマトウダイ）。

1000

2000

3000

4000

5000

6000

7000

8000

9000

10000

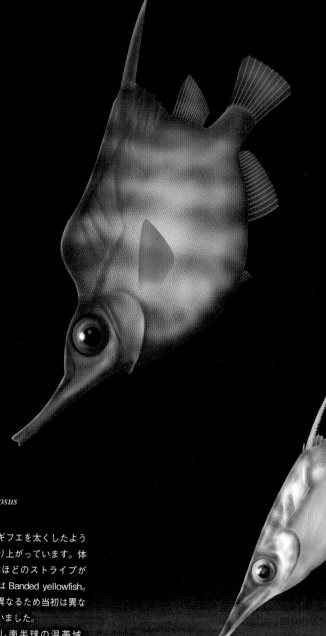

ミナミサギフエ

Centriscops humerosus

*21.4*cm

ミナミサギフエはサギフエを太くしたよう
な体型で後頭部が盛り上がっています。体
には斜めに5～6本ほどのストライプが
走っています。英名は Banded yellowfish。
幼魚は成魚と大きく異なるため当初は異な
る種類と考えられていました。
Centriscops 属に属し南半球の温帯域、
南大西洋、南アフリカ、南西太平洋の
1,000m まで棲息しています。

【トゲウオ目】
サギフエ科

水族館で展示されることもあるので、集団で頭を下にしている魚といえば
ピンとくるかもしれません。

サギフエ科は3属が知られており、残る1属はNotopogon属でミナミサ
ギフエをこの属に含める資料もあります。そもそもトゲウオ目は2亜目
11科71属に300種近い種類がいますが、8割以上がヨウジウオやタツノ
オトシゴの仲間でほとんどが浅海性です。こうして深海性（浅海性だが深
海にも進出している種類）として紹介するのは珍しいことです。

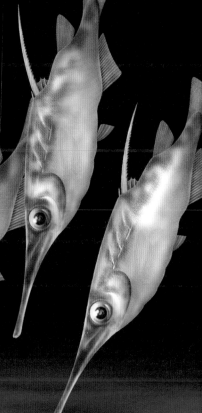

サギフエ

Macroramphosus sagifue
15cm

トゲウオ目サギフエ科サギフエ属、吻が尖り
薄紅色の斑紋があります。背ビレの第2棘
条（きょくじょう）は強大で後ろの縁がぎざ
ぎざしています。歯や側線はありません。ス
ポイトで吸い込むように動物プランクトンな
どを捕食しているようです。

小さくて粗雑なウロコを持っています。棲
息地域が深くなるにつれ体形はずんぐりす
る傾向があります。属名Macroramphosus

は「大きな嘴」、種小名はそのまんま「サギ
フエ（sagifue）」が付いていますが、学名を
*M.scolopax*としている文献もあり検討は途上
のようです。英名はLongspine snipefish。和
名では「鷺（さぎ）」で英語では「snipe＝鴫

（しぎ）」なのが面白いところです。なお危険
を感じると普通の魚と同じように水平に泳ぎ
ます。全世界の大陸棚から移行帯にかけた
500m以浅の温帯域に棲息します。

日本近海からは背ビレ第2棘条が短く、
縁にぎざぎざがないダイコクサギフエ
（*M.japonicus*または*M.gracilis*）が知られて
います。が、遺伝的にはサギフエと同等との
報告があります。

【カサゴ目】
メバル科

メバル属は一般に長寿が多く、中でも *Sebastes aleutianus* という種類は205歳の記録があるそうです。

多くは冷たい海域が好みで、天皇海山列に多く生息しています。この天皇海山列はハワイ諸島北西からアリューシャン列島にかけて約3,000kmにわたって連なる海山列のことで、南の海山ほど形成年代が新しく、頂上までの水深が浅いという傾向があります。この頂上付近の水深300〜500mの平坦な海山が底引き網漁場として、また海山斜面や水深の深いところが底刺網漁場として有用な場所になっています。天皇海山列の名の由来は1954年、アメリカの海洋学者ディーツが1つ1つに命名したのが始まりです。天皇名と海山には特に法則はなく、皇后名が混じっていたりするのはご愛敬です。ギンメヌケ、クロブチメヌケ、アオスジメヌケ、ハナサケメヌケの4種はベーリング海からカリフォルニアにかけて棲息しています。

クロブチメヌケ

Sebastes crameri
58cm

クロブチメヌケ（黒斑目抜）の英名は Darkblotched（黒しみ）rockfish。背中から体側にかけて約5本の黒色横帯が走っています。

アコウダイ

Sebastes matsubarae
51cm

アコウダイ、日本ではよく知られたメバル属の中でも代表種です。北日本が主な棲息地で富山湾などの日本海からも得られています。

生息水域
（メートル）

1000

オオサガ

Sebastes iracundus

60㎝

大型になる種類で種小名 iracundus は
「短気な」。日本では太平洋側北方寄
りから得られています。

2000

3000

ギンメヌケ

Sebastes brevispinis

71㎝

ギンメヌケ（銀目抜）の英
名は Silvergray rockfish。種
小名 brevispinis は「短い棘」
で背面の各棘は弱めです。

4000

5000

6000

アオスジメヌケ

Sebastes elongatus

39㎝

アオスジメヌケ（青筋目抜）の英名は Greenstriped
rockfish。種小名 elongatus は「細長い」。体高はほ
かの種類より低めです。赤い側線の上下に２本ずつ
黄緑色のストライプが走っています。

7000

8000

ハナサケメヌケ

Sebastes diploproa

46㎝

ハナサケメヌケ（鼻裂目抜）の英名は Splitnose
rockfish。種小名 diploproa は「２つの船首」。上
顎先端に１対の突起があります。

9000

10000

ソコホウボウ

Pterygotrigla hemisticta

30㎝

第1背ビレに大きな黒い斑点があり、胴体の背中側にもゴマ粒状の黒点が散らばっています。なので種小名は「半分斑点のある（hemisticta）」。英名もBlackspotted gurnard。日本の太平洋側からオーストラリアにかけての西太平洋に棲息しています。

カナガシラ

Lepidotrigla microptera

31㎝

カナガシラの種小名micropteraは「小さい翼（鰭）」。カナガシラとカナドは吻端の二叉は短く、ささくれ立ったような小さい棘が生えています。日本の太平洋側から台湾辺りにかけて棲息しています。

ホウボウ

Chelidonichthys spinosus

40㎝

種小名spinosus は「棘の多い」。英名は Spiny red gurnard。広げた胸ビレが見事でウグイス色の地に青い斑点が散らばり縁が彩られます。水族館ではクジャクのように眼を楽しませてくれます。

ウロコソコホウボウ

Pterygotrigla macrolepidota
13cm

種小名 macrolepidota は「大きなウロコのある」。

オニソコホウボウ

Pterygotrigla mulutiocellata
35cm

吻が長く、胸ビレの上の棘も長いという特徴があります。ぱっと見は主鰓蓋骨（しゅさいがいこつ）から伸びているように見えるこの棘は上膊棘（じょうはくきょく）と呼ばれています。種小名 mulutiocellata は「多くの小さい眼状紋のある」。

【カサゴ目】
ホウボウ科

ホウボウ科の仲間はほとんど 200 ～ 300 mの海底にいます。そして歩きます。胸ビレに遊離する軟条（なんじょう）を持ち、先端に味蕾（みらい）という味を感じる器官があります。この味蕾は私たち人間の舌の上にもあって、ここで味を感じています。この軟条を巧みに動かして（泳ぐのはかったるいと言わんばかりに）器用に歩いているのです。もちろん泳ぐこともあります。

胸ビレは羽ばたかせることができるので英名では Searobin（海のコマドリ）とも呼ばれます。さらにウキブクロは「鳴き袋」とも呼ばれ、音を出すこともできます。どうやらこれが「ホウホウ」と聞こえることからホウボウと名付けられたそうです。実際の声は「グゥ、グゥ」が近いかも。別の説では「這う魚」から転じたともいわれています。

また吻端（ふんたん）が二叉（にさ）していてこの形が種類を識別する特徴になっています。

ソコホウボウ、ウロコソコホウボウ、オニソコホウボウはソコホウボウ属に属します。カナガシラとカナドの2種はカナガシラ属に属し、ホウボウはホウボウ属です。

カナド

Lepidotrigla guentheri
20cm

カナドは背ビレの第2棘が第1棘より長いという特徴があります。種小名 guentheri は「棘の多い」の意。

1000
2000
3000
4000
5000
6000
7000
8000
9000
10000

ペリステディオン　カタフラクタム

Peristedion cataphractum

40cm

英名 African armoured（装甲した）searobin。地中海からアフリカ大陸西岸にかけて棲息しています。オスは背ビレの第1〜第6棘条（きょくじょう）が長く伸びています。

エビキホウボウ

Peristedion ecuadorense

16cm

対岸の中部西大西洋側、フロリダからメキシコ湾、カリブ海にかけて棲息、張り出したエラの後端はほぼ直角、下顎のヒゲは16〜18対の枝状になっています。体側のウロコは4列あります。

【カサゴ目】
キホウボウ科

キホウボウ科はホウボウ科と近縁で吻端の突起が二叉（にさ）しています。遊離した胸ビレ鰭条（きじょう）はホウボウ科の3本に対し2本と少なく、これで海底上に安定させています。またホウボウ科にはない長いヒゲが種類を識別する際の特徴の1つになっています。多くは数100mの移行帯に棲息しています。

ペリステディオン　カタフラクタム、エビキホウボウ、アミキホウボウの3種はキホウボウ属に属しいずれも両顎に歯はありません。また日本からは報告されていません。

残りの4種は日本近海からも知られており、オニキホウボウだけがオニキホウボウ属に属し、それ以外はヒゲキホウボウ属に属します。ヒゲキホウボウ属の特徴は両顎に歯がなく、背ビレの軟条が20以上あることです。

オニキホウボウ

Gargariscus prionocephalus

30cm

上顎だけに歯があり、胴体には5本ほどの横帯があります。それよりも頭部の左右の張り出しが半端じゃないのでほかの種類と間違えることはありません。この凸凹から種小名 prionocephalus は「ノコギリ頭」、英名は Jaggedhead（ギザギザ頭）gurnard です。

（メートル）

1000

2000

3000

4000

5000

6000

7000

8000

9000

10000

アミキホウボウ
Peristedion gracile
20cm

英名を Slender searobin、北米東岸からメキシコ湾にかけて棲息しています。エラはほとんど張り出していません。下顎のヒゲは 25 ～ 26 対が枝状になっています。

トゲキホウボウ
Scalicus serrulatus
21cm

吻端の突起は平行で
ヒゲは 5 対です。

ソコキホウボウ
Scalicus quadratorostratus
24cm

突起は外に開いていてヒゲは 6 ～
8 対です。

ナンヨウキホウボウ
Scalicus orientalis
17cm

属名 Scalicus は『階段』。吻端の
突起は長めの三角形です。

マリアナスネイルフィッシュ

Pseudoliparis swirei

22.6㎝

スズキ目クサウオ科シンカイクサウオ属に属しヨミノアシロ（*Abyssobrotula galatheae* 8,370 m・P132）とともに魚類最深記録を競います。属名は「偽の（Pseudo）クサウオ（Liparis）」、お腹に吸盤（腹吸盤 ふくきゅうばん）を備えています。

幼魚は浅い場所で過ごします。祖先が浅いところにいた名残でしょうか、本来だと必要のないつぶらで可愛い眼を持っています。おどろおどろしい深海魚のイメージからは程遠いですね。

【カサゴ目】
クサウオ科

マリアナスネイルフィッシュは冥深帯とも呼ばれる超深海のマリアナ海溝 8,178m から知られています。8,000m を超える超深海でも甲殻類や棘皮動物などの生物はいますが魚類に限ればパタっと姿を消します。

その理由についての研究も進んでいます。水溶性の有機化合物に TMAO（トリメチルアミン N オキシド）という物質があり、これがキーになっています。TMAO は体内と海水の浸透圧調節に寄与していて水分子を引き寄せてタンパク質を守る役割があります。深海の生物ほどこの TMAO が多くなる傾向があります。しかしこの TMAO が働くのは浸透圧が体内と体外で等しくなるところまで。これが 8,200m 付近といわれています。これより深くなるとタンパク質同士がくっついてしまうため魚類の場合は生きられずここが棲息限界になるのです。

一方魚類以外、たとえばカイコウオオソコエビ（*Hirondellea gigas*・P224）は 10,000m を超える超深海から知られており、文字通りの最深記録保持者ですが彼らはシロイノシトールという特殊な物質を持っており、くっつくタンパク質を切り離すことができます。この違いが見えない壁を作っているのです。

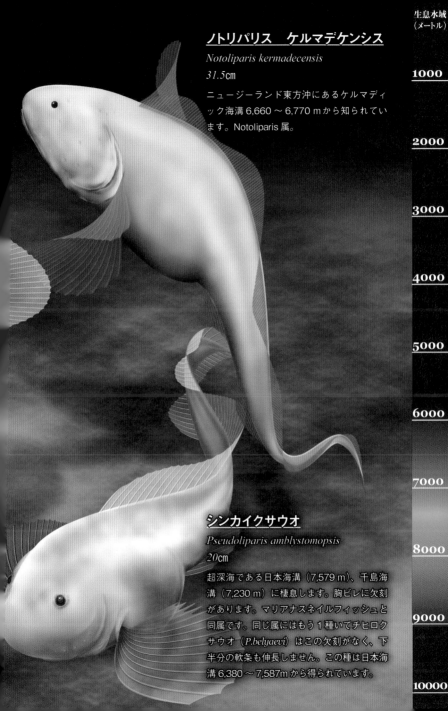

ノトリパリス　ケルマデケンシス

Notoliparis kermadecensis
*31.5*cm

ニュージーランド東方沖にあるケルマディ
ック海溝6,660～6,770mから知られてい
ます。Notoliparis属。

1000

2000

3000

4000

5000

6000

7000

シンカイクサウオ

Pseudoliparis amblystomopsis
*20*cm

超深海である日本海溝（7,579m）、千島海
溝（7,230m）に棲息します。胸ビレに欠刻
があります。マリアナスネイルフィッシュと
同属です。同じ属にはもう1種いてチヒロク
サウオ（*P.belyaevi*）はこの欠刻がなく、下
半分の軟条も伸長しません。この種は日本海
溝6,380～7,587mから得られています。

8000

9000

10000

オグロコンニャクウオ

Careproctus furcellus

46cm

種小名 furcellus は「熊手」の意。北海道羅臼町沖600
〜750 m から得られたイバラガニモドキ（*Lithodes
aequispinus*・P241）の甲羅内に産みつけられていた卵がオ
グロコンニャクウオとアイビクニンだったことがあります。
安全な場所だと判断したのでしょうね。吻が突出していれば
オグロコンニャクウオ、丸く短ければアイビクニンです。

アイビクニン

Careproctus cypselurus

37.4cm

アラスカビクニン

Careproctus colletti

39.7cm

英名 Alaska snailfish。日本から
千島列島、オホーツク海、カム
チャッカ半島、ベーリング海、
アラスカ湾にかけての北太平洋
1,300 m まで分布しています。

ソコビクニン

Careproctus bathycoetus

16cm

種小名 bathycoetus は「深い眠り」。
オホーツク海の3,000 m を超える
深さから得られています。

右上: 生息水域
（メートル）

1000

2000

3000

4000

5000

6000

7000

8000

9000

10000

【カサゴ目】
クサウオ科

すべてカサゴ目クサウオ科コンニャクウオ属に属します。
日本の太平洋側からオホーツク海、カムチャッカ半島、ベーリング海、
アリューシャン列島、アラスカ湾にいたる寒冷地の、移行帯から7,000
mを超える深海まで幅広く分布するグループで100種以上が報告されて
います。熱水噴出域にも C.hyaleius という種類が東太平洋の海嶺2,630
mから見つかっているので多様性も豊かです。
属名 Careproctus は「頭＋尻」。ビクニンという名称は女僧侶である比丘尼
（びくに）に由来します。のっぺりとした感じが連想させたのでしょうか。

ザラビクニン
Careproctus trachysoma
31.3㎝

サケビクニンとザラビクニンは別種のようで
すが、ザラビクニンには明るい色味の light
morphotype と暗い色味の dark morphotype が存
在するらしく、かつて識別のポイントにしていた
色は有効とはならないようです。両者の区別は難
しいということですね。

サケビクニン
Careproctus rastrinus
33㎝

種小名 rastrinus は「鋤（すき）」。胸ビレの先
端と下唇の下に味を感じる味蕾（みらい）と
いう器官があり、海底付近を逆立ちして甲殻
類などを探しています。また眼の周りは膜で
覆われていて瞳孔の大きさを変えることで光
の入る量をコントロールすることができます。

コオリウオ科

スズキ目ノトテニア亜目コオリウオ科（Icefish）のグルー プです。同じノトテニア亜目ノトテニア科と比べて吻が尖 っている種類が多くいるので crocodile（ワニ）icefish と 呼ばれています。

コオリウオ科は血液にヘモグロビンがないのでほぼ透明 です。酸素を運ぶ役割を持つヘモグロビンの替わりに体 の構造自体を改造しました。全身に酸素を運ぶために大 きな心臓と太い血管を持ち、血漿（けっしょう）を利用 して多くの血流で酸素をいきわたらせています。さらに 側線以外にウロコがなく皮膚からも直接酸素を取り込む ことができます。

コオリカマス

Champsocephalus gunnari

35cm

フライやから揚げの食材として日 本では輸入されています。属名 Champsocephalus は「ワニの頭」。 英名は mackerel（サバ）icefish。

ニラミコオリウオ

Chionodraco hamatus

49cm

南極大陸を源とする氷河と一緒に運ばれてきた岩石が、 氷山が溶けることによって海底に沈むことがあります。 ドロップストーンといいます。ニラミコオリウオはこ の海底に転がった石を利用して表面に卵を産み落とし ます。これで卵を安定させることができます。

スイショウウオ

Chaenocephalus aceratus

70cm

英名は Blackfin icefish。若い時はナンキョクオキアミを主に捕食し、成長とともに海底で待ち伏せ型になります。成熟するまでに5〜7年かかり、繁殖と子育てにたっぷり愛情を注ぎます。オスが海底に丸いくぼみを掘り、メスが周囲の異物を取り除きます。産卵後、オスは孵化するまでの数ヵ月、ひたすら卵を守ります。

ジャノメコオリウオ

Chionodraco rastrospinosus

52cm

カラスコオリウオ

Neopagetopsis ionah

56cm

南極の大陸棚、浅場から900m付近まで棲息しています。1属1種、属名は「新しい氷（Neopagetopsis）」。

ワニグチコオリウオ

Channichthys rhinoceratus

60cm

英名は Unicorn icefish。鼻先の棘からの命名です。体側には不規則な斑紋があり側線が上下に2本あります。大量の粘液を分泌します。

1000
2000
3000
4000
5000
6000
7000
8000
9000
10000

ベンテンウオ

Pteraclis aesticola
45cm

英名は Pacific fanfish、日本近海の
ほか、中央太平洋、カリフォルニ
ア沖、オーストラリア南東岸から
知られていますが滅多にお目にか
かれません。

リュウグウノヒメ

Pterycombus petersii
40cm

英名は Prickly fanfish、日本近海の
ほか、天皇海山、赤道付近の中央太
平洋、オーストラリア沿岸、西イン
ド洋、など広範囲に棲息していま
す。リュウグウノヒメ属は大西洋
の北半球側からもう1種、*P.brama*
（Atlantic fanfish）がいます。

【スズキ目】
シマガツオ科、ヤエギス科

3種類とも体は薄く側扁していて背中とお腹にある鱗鞘（りんしょう）という溝にヒレを収納することができます。1万種を超えるスズキ目の中で3分の1を占める最大派閥、スズキ亜目に属します。その中でベンテンウオとリュウグウノヒメはシマガツオ科に、ヤエギスはヤエギス科に属します。
特にベンテンウオとリュウグウノヒメは背ビレと尻ビレが見事ですね。扇子のように大きく広げることで体を大きく見せています。しかしマグロの仲間には通用しないようで彼らのエサとなっています。危険が迫る時は鞘（さや）に背ビレと尻ビレを収めることで水の抵抗を受けずに高速で泳ぎます。この自慢の背ビレと尻ビレは成長に伴って小さくなります。漢字で書くと「弁天魚」と「竜宮姫」で優雅さが際立ちますね。ありがたく思えてきます。背ビレの始まる位置で両者は区別できます。

ヤエギス

Caristius macropus

28㎝

種小名 macropus は「大きな足」、先の2種と違って腹ビレも長く伸びます。北太平洋外洋の中層、深層に棲息しています。1,400mの深さからも知られています。はっきりした側線を持ち、ウロコは剥がれやすい円鱗（えんりん）になっています。英名は Mane（たてがみ）fish。

1000

2000

3000

4000

5000

6000

7000

8000

9000

10000

ウラナイカジカ科

両目が離れているせいもあるのでしょうか。可愛い、いや醜い、とその表情が話題になります。スズキ目のウラナイカジカ科はとにかく頭の容積が大きく、2.5頭身のバランスです。腹ビレは取ってつけたように小さいのが付いています。

アカドンコ

Ebinania vermiculata

30cm

アカドンコ属。種小名 vermiculata は「昆虫の幼虫のような」、そういう形容もあるんですね。眼は小さく頭部は細かい小皮弁（しょうひべん）に覆われています。熊野灘以北の300〜1,000 m付近に棲息しています。

ガンコ

Dasycottus setiger

30cm

ガンコとコブシカジカは背ビレが前半の棘条部と後半の軟条部がはっきり分かれ2基あります。ガンコは頭部背面に多数の棘があります。なので英名も Spinyhead sculpin（とげとげ顔のカジカ）。属名 Dasycottus も種小名 setiger も「毛の生えた」意味です。
アンコウカジカとも呼ばれたことがあり、味はアンコウに負けず美味です。銚子以北の太平洋、日本海、オホーツク海、ベーリング海にかけての北太平洋、400〜500 m付近に分布しています。

ニュウドウカジカ

Psychrolutes phrictus

60cm

ニュウドウカジカとクマノカジカはともにウ
ラナイカジカ属に属します。ぶよぶよした皮
膚に覆われウロコはありません。背ビレは前
半と後半がつながって1基です。

ニュウドウカジカは英名を Blob sculpin（ふ
とっちょのカジカ）といい、東北沖からオホ
ーツク海、ベーリング海にかけての冷たい海
域に棲息しています。最深2,800mからの報
告があります。頭部に小皮弁が散在し体側に
は孔状の側線があることも特徴でクマノカジ
カにはそれらがありません。

クマノカジカ

Psychrolutes macrocephalus

41cm

暖かい海域の方が好みのようで南アフリカを主に南日
本の太平洋側から知られています。棲息水深は500
～1,000m。種小名 macrocephalus は「大きな頭」。
P. inermis と記載している資料もあります。

コブシカジカ

Malacocottus zonurus

20cm

眼が大きく、背ビレ前方が盛り上がっている特徴をもって
います。頭部に細かな小皮弁があり、体と頭部の背面に粟
粒状のウロコがあります。

ヤマトコブシカジカ（*M.gibber*）と遺伝的に差がないとの
報告もありこのへんはまだ検討が途上のようです。英名は
Darkfin sculpin。北日本からオホーツク海、ベーリング海
にかけて2,000mまでの深さから知られています。

1000

2000

3000

4000

5000

6000

7000

8000

9000

10000

シロゲンゲ

Bothrocara zestum

60cm

ウロコは丸形。ノロゲンゲに似ていますが体長は60cm
に達します。日本海側では以前はエゾバイや甘エビ、ズ
ワイガニ漁に混じる下魚（げぎょ＝なまってゲンゲにな
ったといわれています）として捨てられていましたが、
最近は食材として注目されるようになりました。げんげ
汁が定番ですが、時間が経つと粘液が煮こごって味が落
ちてしまうため鮮度が命です。コラーゲン豊かでゼラチ
ンの食感があります。北日本太平洋沖からオホーツク
海、ベーリング海、アラスカ湾にかけて1,600mまで棲
息しています。

ナンキョクゲンゲ

Pachycara brachycephalum

35cm

日本近海には棲息しない種類で
南極大陸の周囲で独自に繁栄し
ました。周囲は南極環流が回っ
ているため暖海の表層にいる魚
類はこれを越えて大陸に近づく
ことができません。しかし深海
性の魚類は流れの下をくぐるよ
うに湧き上がる南極深層水に乗
っかって南極大陸に近づくこ
とができます。Pachycara属。
1,800mまでに棲息しています。
腹ビレがあります。

1000

2000

3000

4000

5000

6000

7000

8000

9000

10000

ノロゲンゲ

Bothrocara hollandi

30cm

ウロコは楕円形で直角に配列されています。体長は30cmほどです。以前はB.mollisの学名が使われていたこともあります。また色彩による2つの型があるとの報告があります。日本海、北日本太平洋沖からオホーツク海、ベーリング海にかけて2,000mまで棲息します。

カンテンゲンゲ

Bothrocara tanakae

100cm

小さな円鱗（えんりん）に覆われていて頭部にはウロコがありません。北日本からオホーツク海にかけての900m付近までに棲息しています。

ウスギヌゲンゲ

Taranetzella lyoderma

14cm

ウスギヌゲンゲ属。駿河湾、ベーリング海、バンクーバー沖の1,000m以深、3,000m辺りまで棲息する深海性のゲンゲです。腹ビレがあります。

【スズキ目】
ゲンゲ科

カンテンゲンゲ、ノロゲンゲ、シロゲンゲの3種がシロゲンゲ属に属し、腹ビレがなく、側線が2本走る特徴を持ちます。大陸棚や大陸斜面の比較的浅い海底でも見られます。

【カレイ目】
ダルマガレイ科

「左ヒラメに右カレイ」、両者を区別する時に眼の向きで判別する時の「呪文」です。しかし現実はそう単純な話ではありません。ダルマガレイ科とヒラメ科とウシノシタ科は眼が左側、カレイ科とササウシノシタ科は右側、ボウズガレイ科は右側だったり左側だったり。そしてコケビラメ科のコケビラメは左側、同科のウロコガレイは右側……もうどうでもよくなってきました。冒頭の呪文は大雑把にいえば、ということでいいと思います。
さてここに紹介するのはカレイ目ダルマガレイ科。英語では Lefteye flounders で眼は左側にあります。仔魚の時は普通の魚の姿をしていて背ビレの第2軟条が1本長く伸びています（スミレガレイの仔魚は9から10本）。変態が進むと右眼が左に移動して底生生活に移ります。

ワニガレイ

Kamoharaia megastoma

25㎝

口は大きく下顎の前端に3対の鋭い犬歯があります。ウロコは円鱗、種小名 megastoma は「大きな口」。英名は Wide-mouthed flounder。1属1種で主に西太平洋に分布します。

ウケグチザラガレイ

Chascanopsetta prognathus

24㎝

ウケグチザラガレイとザラガレイの体は極めて柔らかく、ウロコは小さい円鱗（えんりん）、大きい口で下顎の方が前に出ています。特にウケグチザラガレイは喉を大きく膨らませることができます。この柔軟な喉は口腔咽喉嚢（こうこういんこうのう）といってフクロウナギ（*Eurypharynx pelecanoides*・P024）にもみられます。ただ注意したいのは英名 Pelican flounder（ペリカンのカレイ）はザラガレイの方です。
ウケグチザラガレイは駿河湾から沖縄舟状海盆とインド洋に棲息しています。

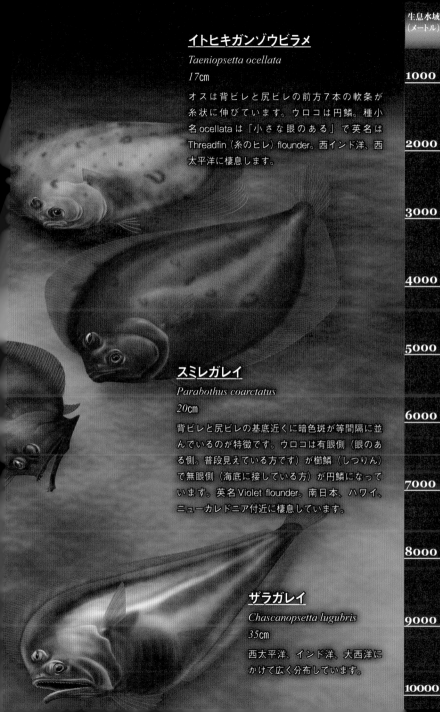

イトヒキガンゾウビラメ

Taeniopsetta ocellata
17㎝

オスは背ビレと尻ビレの前方7本の軟条が
糸状に伸びています。ウロコは円鱗。種小
名 ocellata は「小さな眼のある」で英名は
Threadfin（糸のヒレ）flounder。西インド洋、西
太平洋に棲息します。

スミレガレイ

Parabothus coarctatus
20㎝

背ビレと尻ビレの基底近くに暗色斑が等間隔に並
んでいるのが特徴です。ウロコは有眼側（眼のあ
る側。普段見えている方です）が櫛鱗（しつりん）
で無眼側（海底に接している方）が円鱗になって
います。英名 Violet flounder。南日本、ハワイ、
ニューカレドニア付近に棲息しています。

ザラガレイ

Chascanopsetta lugubris
35㎝

西太平洋、インド洋、大西洋に
かけて広く分布しています。

1000

2000

3000

4000

5000

6000

7000

8000

9000

10000

【カレイ目】
カレイ科

カレイやヒラメは海底でじっとしているイメージがありますが、自ら泳ぐ力を持つ底生生物という位置づけでネクトベントス（遊泳性底生生物）に分類されます。ここに登場するのはすべてカレイ科の仲間です。英名では Righteye flounders で眼は右側にあります。アブラガレイとカラスガレイはお手頃価格のすしネタのエンガワとして利用されています。

アメリカナメタガレイ

Microstomus pacificus
76㎝

属名 Microstomus は「小さな口」。ナメタ（滑多）といわれるように陸揚げした時に大量の粘液を出します。このヌメリが調理をする時に厄介で、大量の塩と水で格闘することになります。ウロコの方は剥がれやすい円鱗（えんりん）です。

アメリカヒレグロ

Glyptocephalus zachirus
59㎝

属名 Glyptocephalus は「彫刻された頭」。アメリカヒレグロとアメリカナメタガレイはアラスカからカリフォルニアにかけての北米大陸西岸で高級食用魚として流通しています。

アカガレイ

Hippoglossoides dubius
45㎝

刺身や塩焼き、煮付けなど美味しくいただけますが資源としては減少傾向にあります。属名は「オヒョウに似たもの（Hippoglossoides）」。

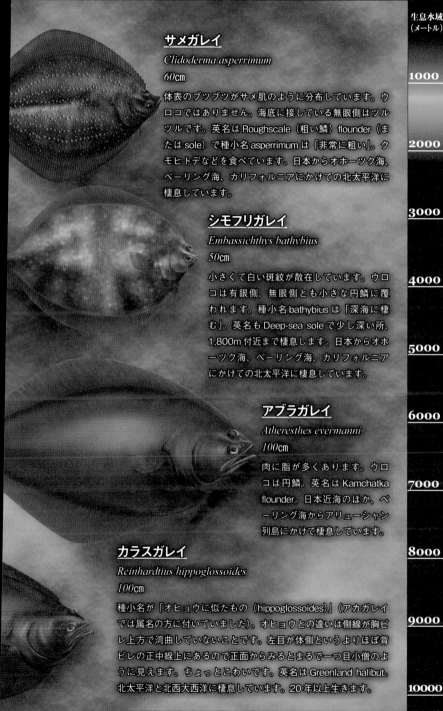

生息水域
（メートル）

1000

2000

3000

4000

5000

6000

7000

8000

9000

10000

サメガレイ

Clidoderma asperrimum

60㎝

体表のブツブツがサメ肌のように分布しています。ウロコではありません。海底に接している無眼側はツルツルです。英名は Roughscale（粗い鱗）flounder（または sole）で種小名 asperrimum は「非常に粗い」。クモヒトデなどを食べています。日本からオホーツク海、ベーリング海、カリフォルニアにかけての北太平洋に棲息しています。

シモフリガレイ

Embassichthys bathybius

50㎝

小さくて白い斑紋が散在しています。ウロコは有眼側、無眼側とも小さな円鱗に覆われます。種小名 bathybius は「深海に棲む」。英名も Deep-sea sole で少し深い所、1,800m 付近まで棲息します。日本からオホーツク海、ベーリング海、カリフォルニアにかけての北太平洋に棲息しています。

アブラガレイ

Atheresthes evermanni

100㎝

肉に脂が多くあります。ウロコは円鱗。英名は Kamchatka flounder。日本近海のほか、ベーリング海からアリューシャン列島にかけて棲息しています。

カラスガレイ

Reinhardtius hippoglossoides

100㎝

種小名が『オヒョウに似たもの（hippoglossoides）』（アカガレイでは属名の方に付いていました）。オヒョウとの違いは側線が胸ビレ上方で湾曲していないことです。左目が体側というよりほぼ背ビレの正中線上にあるので正面からみるとまるで一つ目小僧のように見えます。ちょっとこわいです。英名は Greenland halibut。北太平洋と北西大西洋に棲息しています。20年以上生きます。

カレイ科

カレイ科の中でも巨大になる種類でオヒョウ属はこの2種が知られています。

有眼側も無眼側も体は細かい円鱗（えんりん）に覆われ、側線は胸ビレの上方で湾曲しています。

両方ともウロコは細かい卵型の円鱗（えんりん）ですが太平洋産のタイヘイヨウオヒョウが細長く、種小名も「狭い鱗（stenolepis）」、大西洋産のタイセイヨウオヒョウが幅広い形で区別されます。

食用として欧米ではフライやムニエル、ステーキとして大きな需要があります。日本にも冷凍で輸入され、新鮮なら刺身もいけます。

タイヘイヨウオヒョウ

Hippoglossus stenolepis
250㎝

オヒョウは大きなヒラメ（大鮃）と書きますがカレイの仲間です。もっともヒラメ科もカレイ目の一員なので厳密な違いはありません。

性成熟するまで約12年かかりますがメスはオスより成長は早く、寿命も40年と長寿です。成魚は2.5ｍになります。産卵のため数千kmもの長距離を回遊し数100万個の卵を産みます。英名は Pacific halibut。北日本からオホーツク海、ベーリング海、アラスカ湾、カリフォルニアにかけての北太平洋、400m付近に棲息しています。

タイセイヨウオヒョウ

Hippoglossus hippoglossus

*300*cm

大物は3m、200kgを超えます。欧米ではスポーツフィッシングとして大会の対象になっています。

食性は稚魚がプランクトン、幼魚が小魚や甲殻類、成魚はマダラ（*Gadus macrocephalus*）やスケトウダラ（*Theragra chalcogramma*）、貝類、カニ類を狙います。

英名は Atlantic halibut。カナダからグリーンランドにかけての北西大西洋に多く棲息、東大西洋からも知られています。

生息水域
（メートル）

1000

2000

3000

4000

5000

6000

7000

8000

9000

10000

コラム2
海底下生命圏

　近年、地下生命圏あるいは海底下生命圏という言葉を耳にする機会が増えた。文明を持った地底人のことではない。1994年、ODP(国際深海掘削計画)で海底下800mまでの堆積物から膨大な微生物細胞が見つかり、地球内部に巨大な生命圏が広がっていることが明らかになった。その世界は海の2倍、20〜23億km³におよぶともいわれている。

　そこには全生物の細菌(バクテリア)、古細菌(アーキア)、真核生物(ユーカリア)が存在しており、特に細菌と古細菌は地球上の約7割が地下に生息していると見積もられている。

　ただしそれらの微生物は陸上や海水などの地球表層で確認されている微生物とは進化的にかけ離れた種であることが分かっている。1回の細胞分裂に数十年から数千年という途方もない時間がかかると推定されており、人間の尺度からは本当に生きているのかと思わざるを得ない。海底下2,000mの石炭層からは2,000万年以上前の陸地だった頃の微生物が環境に適応して生息していた。彼らは貧弱な栄養環境下で僅かな有機物を極めてゆっくりと分解しながらメタンや石炭を作っている。

　技術の進歩で海底を掘削し採取することができるようになり、地球深部掘削船"ちきゅう"が2007年から科学掘削を開始している。採取したコア試料を陸上に引き上げ、高温高圧を再現したリアクター(反応容器)で培養させ、日々研究が行われている。かつて地球内部に生命体は存在しないと考えるのが常識だった。しかし独自の適応を遂げた生命圏の存在がこうして明らかになり、地球が誕生した頃の環境が残されていて生命の起源に迫りつつある。さらによく似た環境を持つ天体の火星にも生命体が生を育んでいるのではないかと期待が高まる。

第3章

深海で暮らす
生き物たち

【ウリクラゲ目】
ウリクラゲ科

われわれが普段クラゲと呼んでいるものは大きく2つの門で区別されています。刺胞動物（しほうどうぶつ）門と有櫛動物（ゆうしつどうぶつ）門です。似て非なるこの2つをクラゲと呼んでいるのです。

有櫛動物（ゆうしつどうぶつ）は百数10種ほどが知られていて刺胞動物に比べると数では1～2%程度の小さなグループになります。刺胞動物との主な違いは雌雄同体で有性生殖をおこないポリプ世代がありません。また傘がなく球形や楕円形をした形が多く、人を刺すこともありません。刺すための刺胞（しほう）はありませんが触手に膠胞（こうほう）というネバネバした細胞を持っていて粘着させてエサを獲ります。腕はなく表面にある8列の櫛板（くしいたしつばん）の繊毛（せんもう）を波立たせることで自由に移動することができます。なので一般的にはクシクラゲ類でくくられています。

有櫛動物はさらに触手のある有触手綱と触手のない無触手綱に分かれます。ここに登場するのは無触手綱に属すクシクラゲの仲間です。なお触手のないグループはウリクラゲ目だけが知られています。

光を当てると8本の櫛板がきらきらと波打って見とれてしまうのですが、エサを獲る時はかなり攻撃的です。触手がないのでネバネバ（膠胞）でエサをからめとることができません。ならば、と手っ取り早く相手を飲み込んでしまいます。自分と同じ大きさのクシクラゲであっても迷うことなく大口あけて一飲みです。中にはもどかしくて（？）口の中が反転してしまって胃袋がむき出しになってしまう個体もいます。

シンカイウリクラゲ

Beroe abyssicola

7cm

500m以深の深海に棲息しています。

アミガサクラゲ

Beroe forskalii

10cm

アミガサクラゲもウリクラゲ属でほかのクラゲを食べます。見た目ではウリクラゲより扁平で櫛板が大きく目立ちます。子午管（しごかん）から派生する枝管（しかん）はお互いに連絡しながら広がり、刺激を受けると枝管全体が発光します。

1000

2000

3000

4000

5000

6000

ウリクラゲ

Beroe cucumis

15cm

7000

8000

9000

10000

オビクラゲ

Cestum amphitrites

*100*cm

オビクラゲ目。欧米ではビーナスの飾り帯（Venus's girdle）と呼ばれ、例外的に平たい姿をしています。口は中央にあり刺激を受けるととぐろを巻くように丸まる性質を持っています。また生物発光します。オビクラゲ属は1種のみでオビクラゲ科はもう1属、小型のコオビクラゲ属（Velamen）が知られています。

ホオズキクラゲ

Aulacoctena acuminata

*5*cm

血管のように見える管は子午管（しごかん）という8本の幹からたくさんの枝管（しかん）が伸びている器官です。この赤さと体形から植物のホオズキ（鬼灯、酸漿）を借名しました。フウセンクラゲ目ホオズキクラゲ科に属します。

テマリクラゲ

Pleurobrachia pileus

*2*cm

ビー玉のように可愛らしいフウセンクラゲ目テマリクラゲ科のクラゲです。摂餌の時にくるくる回る様はまさしく手毬（てまり）そのものです。ただ一口サイズのこの大きさになってしまった宿命でウリクラゲ（*Beroe cucumis*・P201）などから捕食されてしまうことがあります。

1000
2000
3000
4000

【有櫛動物門】
有触手綱の仲間

こちらも有櫛動物門ですが、登場するクラゲはすべて触手のある有触手綱に属します。

フウセンクラゲ
Hormiphora palmata
4㎝

テマリクラゲ科に属します。小型甲殻類がコイル状の触手に触れると粘着力のある膠胞（こうほう）細胞でからめ、くるくると体を回転させながら触手を体に巻きつけ、手繰り寄せます。触手は体内にある触手鞘（しょくしゅしょう）に収まってしまうほど縮めることができます。本体の先端に1個の感覚器官があり、光や傾きを感じ取っていると考えられています。

5000
6000
7000

カブトクラゲ
Bolinopsis mikado
30㎝

水族館で見ることもできます。波立つ繊毛に光が当たると虹色に反射して見ていて美しい光景です。クラゲ自身が発光しているわけではありません。口の周りを兜のように広げてエサを捕らえるところからカブトの名が付いています。種小名には「帝（みかど・mikado）」が付いています。幼生期には2本の触手を持っていますが成体になる前に消失します。カブトクラゲ目カブトクラゲ科に属します。

8000
9000
10000

【刺胞動物門】
ヒドロ虫綱の仲間

ここに登場するクラゲは刺胞動物門。刺胞という器官を持っていて「クラゲに刺された！」というときのクラゲがこの仲間です。刺針（さしばり）がセンサーになっていて触れると刺胞の中から毒針が飛び出すのです。硬質タンパク質でできていてガラスくらいの硬さがあります。そりゃ痛いですね。

有性世代のクラゲと無性世代のポリプを繰り返す世代交代をする種類が多く、幼生にプラヌラという時期を持つことが特徴です。

刺胞動物門はさらに花虫（はなむし）亜門、クラゲ亜門、ミクソゾア亜門に分けられます。今回紹介したカッパクラゲはクラゲ亜門ヒドロ虫綱の剛（こわ）クラゲ目、その他の3種類はクラゲ亜門ヒドロ虫綱の管（くだ）クラゲ目に属します。ちなみにヒドロ虫綱は世界に3,000種以上が報告されている巨大グループです。

ヨウラククラゲ
Agalma okenii
30cm

先端に気泡体がありますが分類上は胞泳亜目（ほうえいあもく）で前半の泳鐘部で泳ぎを担い、後半は幹群で複数の個虫（こちゅう）が連なって栄養や生殖、狩りの役目を分担しています。エサを獲る時はすだれ状の触手が有機物をキャッチし引き寄せています。名前は仏像の首飾りや胸飾りに使われる瓔珞（ようらく）が由来。ヨウラククラゲ科ヨウラククラゲ属に属します。

マガタマニラ
Bathyphysa grimaldii
数M

カツオノエボシ（*Physalia physalis*）と同じ嚢泳亜目（のうえいあもく）という泳鐘（えいしょう）部がない種類です。先頭の気泡体の下には幹群（かんぐん）という器官が伸びています。ところどころにぶら下がる勾玉のような栄養体が名前の由来になっています。「ニラ」は魚や植物の棘を意味する「イラ」からだと思われます。気泡体の気体量を調整して浮いたり沈んだりしています。ボウズニラ科に属します。

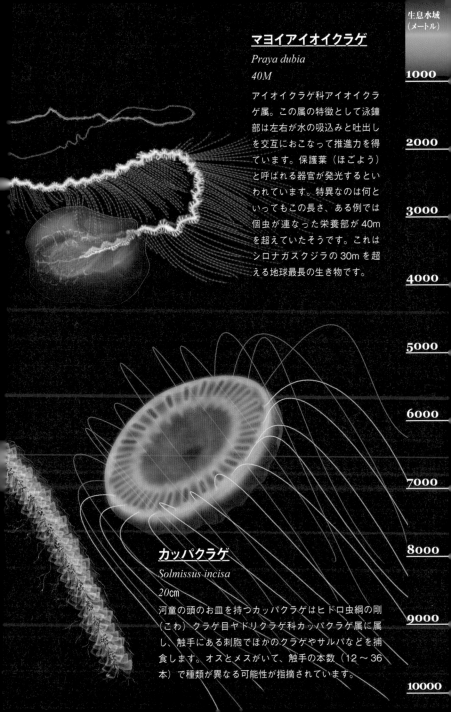

マヨイアイオイクラゲ

Praya dubia

40M

アイオイクラゲ科アイオイクラ
ゲ属。この属の特徴として泳鐘
部は左右が水の吸込みと吐出し
を交互におこなって推進力を得
ています。保護葉（ほごよう）
と呼ばれる器官が発光するとい
われています。特異なのは何と
いってもこの長さ、ある例では
個虫が連なった栄養部が 40m
を超えていたそうです。これは
シロナガスクジラの 30m を超
える地球最長の生き物です。

1000

2000

3000

4000

5000

6000

7000

カッパクラゲ

Solmissus incisa

20cm

河童の頭のお皿を持つカッパクラゲはヒドロ虫綱の剛
（こわ）クラゲ目ヤドリクラゲ科カッパクラゲ属に属
し、触手にある刺胞でほかのクラゲやサルパなどを捕
食します。オスとメスがいて、触手の本数（12〜36
本）で種類が異なる可能性が指摘されています。

8000

9000

10000

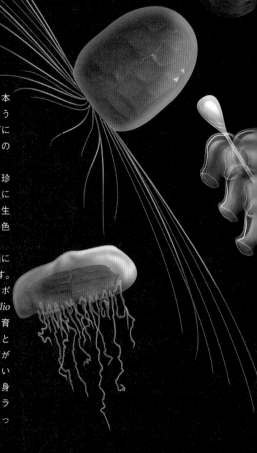

ヒドロ虫綱の仲間

ヒドロ虫綱のクラゲですが目のレベルではすべて異なります。

アカチョウチンクラゲ

Pandea rubra

7.5cm

花クラゲ目、くつろいでいる時は24本の触手を放射状に広げて沈みにくいようにしています（上）。泳ぐ時は傘を上下に伸縮させ、畳んだようにもなる（下）のでまさしく居酒屋の赤提灯ですね。

英名も Red Paper Lantern Medusa。珍しい種類でしたが近年、三陸沖で大量に発見されました。食べた発光性のエサ生物が体内から光を漏らさないよう赤い色素で胃袋を覆っています。

本体は小さなウミグモ類やヨコエビ類にとって格好の棲息場所になっています。そしてアカチョウチンクラゲ自身もポリプ期にはダイオウウキビシガイ（*Clio recurva*）など泳ぐ貝の殻に付着して育っています。昨今の海洋酸性化が進むとウキビシガイなどは貝殻が溶けて強度が弱くなり生きていけなくなってしまいます。するとアカチョウチンクラゲ自身も、そしてウミグモの仲間やほかのクラゲのポリプも生息場所を失うことになってしまうのです。

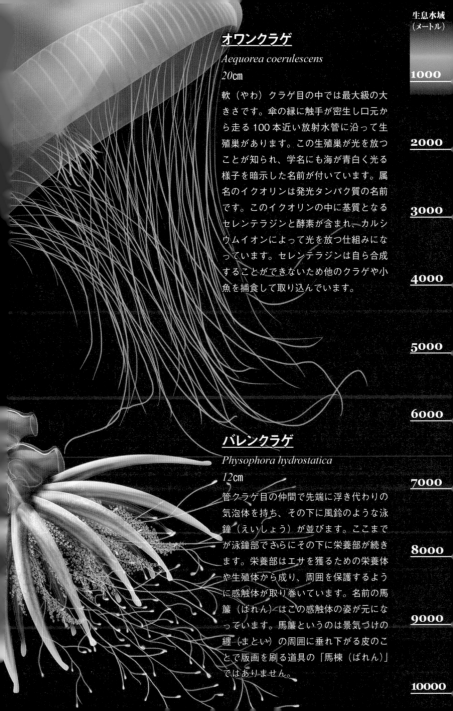

オワンクラゲ

Aequorea coerulescens

20cm

軟（やわ）クラゲ目の中では最大級の大きさです。傘の縁に触手が密生し口元から走る100本近い放射水管に沿って生殖巣があります。この生殖巣が光を放つことが知られ、学名にも海が青白く光る様子を暗示した名前が付いています。属名のイクオリンは発光タンパク質の名前です。このイクオリンの中に基質となるセレンテラジンと酵素が含まれ、カルシウムイオンによって光を放つ仕組みになっています。セレンテラジンは自ら合成することができないため他のクラゲや小魚を捕食して取り込んでいます。

1000

2000

3000

4000

5000

6000

バレンクラゲ

Physophora hydrostatica

12cm

管クラゲ目の仲間で先端に浮き代わりの気泡体を持ち、その下に風鈴のような泳鐘（えいしょう）が並びます。ここまでが泳鐘部でさらにその下に栄養部が続きます。栄養部はエサを獲るための栄養体や生殖体から成り、周囲を保護するように感触体が取り巻いています。名前の馬簾（ばれん）はこの感触体の姿が元になっています。馬簾というのは景気づけの纏（まとい）の周囲に垂れ下がる皮のことで版画を刷る道具の「馬楝（ばれん）」ではありません。

7000

8000

9000

10000

【硬クラゲ目】
イチメガサクラゲ科

光の届かない深海ではまさしく黒クラゲですが、ひとたび照明を当てると鮮やかな赤が浮かびあがります。

いずれも2〜3cmと可愛らしいクラゲでヒドロ虫綱硬（かた）クラゲ目イチメガサクラゲ科クロクラゲ属に属します。イチメガサというのは平安時代に女性が外出する際にかぶった市女笠のことをいいます。雨の日には男の人も使ったそうです。

クロクラゲ属は5種ほどが知られ、いずれも一生を固着することなく浮遊生活を送っています。また硬クラゲ類はプラヌラからポリプの段階を経ずに親と同じクラゲの姿になります。その際、プラヌラの側面に触手が出る世代をアクチヌラ幼生といいます。

クロクラゲ

Crossota norvegica

2cm

北太平洋や北大西洋の凍てつく深海2,600mに棲息しています。外傘（がいさん）の表面に放射状の溝が走っており、普段は200本以上の触手を周囲にぶら下げて中層を漂っています。それぞれの触手の間に1つずつ平衡器を備え、これで上下や傾きを感知してバランスを取っています。*C.rufobrunnea* あるいは *C.brunnea* をクロクラゲと表記している資料もあるようです。

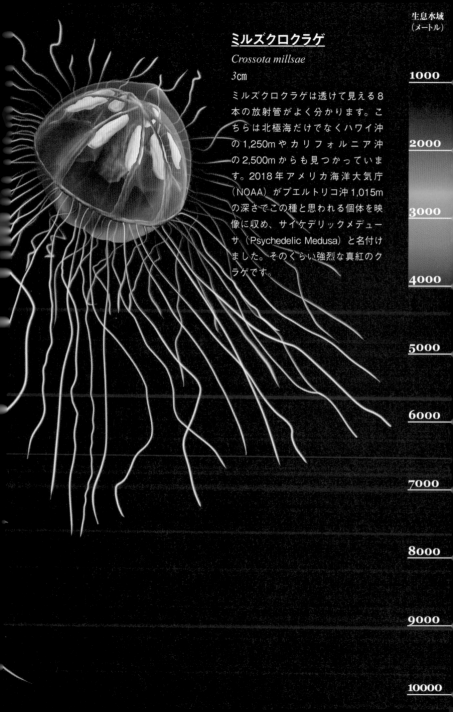

ミルズクロクラゲ

Crossota millsae

3cm

ミルズクロクラゲは透けて見える8本の放射管がよく分かります。こちらは北極海だけでなくハワイ沖の1,250mやカリフォルニア沖の2,500mからも見つかっています。2018年アメリカ海洋大気庁（NOAA）がプエルトリコ沖1,015mの深さでこの種と思われる個体を映像に収め、サイケデリックメデューサ（Psychedelic Medusa）と名付けました。そのくらい強烈な真紅のクラゲです。

生息水域
（メートル）

1000

2000

3000

4000

5000

6000

7000

8000

9000

10000

【花クラゲ目】
オオウミヒドラ科

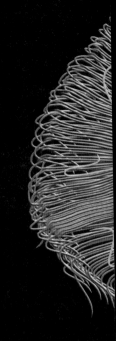

最大のヒドロ虫。"おとひめ" と可愛い名前が付いていますが科名のオオウミヒドラの方がふさわしいかもしれません。

刺胞動物門ヒドロ虫綱花クラゲ目に属し、ヒドロ虫の仲間の中では最大で 2m を超える個体も観察されています。

出芽で芽生え、ヒドロ花、ヒドロ茎、ヒドロ根（ストロン）から構成されています。ヒドロ虫類はポリプ世代、クラゲ世代と変幻自在に形を変えますがオトヒメノハナガサはこの大きさで 1 匹のポリプを形成していて生涯をこの形で過ごします。

この種は 1885 年に房総半島沖からイギリス調査船チャレンジャー号が初めて採取、110 年後にしんかい2000 で生きた姿の発見がなされるまではメデューサのように髪を振り乱した姿が想像されていました。

幹の太さは数cm、下がやや膨らんで砂泥に埋まっています。上部には直径 20cm ほどのヒドロ花が開き、中央の口を取り巻いて 30cm くらいの触手が 2 列に並んでいます。触手は下流方向に向かって伸びていて途中でＵターン、上流から流れてくる懸濁物を捕捉しています。時にはハダカイワシの幼魚を捕らえるなど肉食系の正体も覗かせます。

触手の内側には生殖体の子嚢（しのう）が多数、馬のひづめ状に配列しています。メスの子嚢には卵、オスの子嚢には精子が備蓄されていてタイミングが来ると放出、受精します。卵は精子を誘う性フェロモンを出すので自然界でたくさんの種類が入り混じっても相手を間違えることはありません。

インド洋から太平洋にかけて比較的暖かい海域の 500 〜 6,000m と幅広い水深に分布しています。

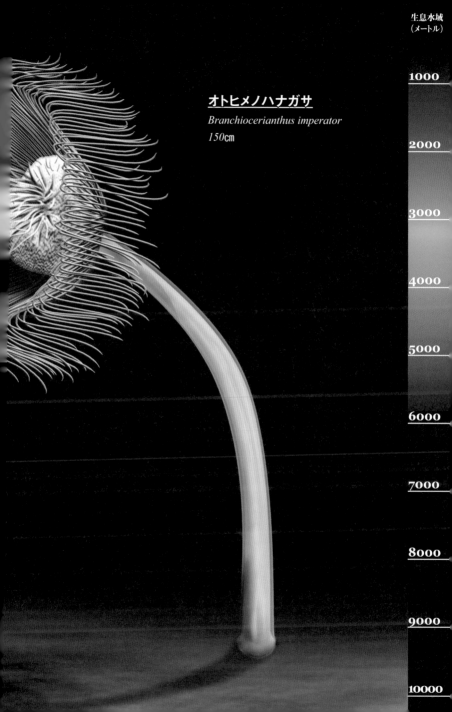

オトヒメノハナガサ

Branchiocerianthus imperator

150cm

生息水域
（メートル）

1000

2000

3000

4000

5000

6000

7000

8000

9000

10000

ディープスタリアクラゲ

Deepstaria enigmatica

100㎝

ディープスタリアクラゲは日本近海でよく見られるミズクラゲと同属ですが、姿かたちも泳ぎ方もミズクラゲとは異なります。傘が異常に大きく腕や消化器などの本体部分はほとんど隠れ、中央に小さくぶら下がっています。傘を目いっぱい広げてエサ生物を包み込み、触手で捕らえた後、引き寄せて食べていると考えられています。表面の網目は放射管で栄養をすみずみまで行き渡らせる役目をします。ビニール袋に例えられますが映像からの印象ではもっと薄く、超薄手のシルクストールのような感じです。なのでミズクラゲのように傘を規則正しく脈動させて泳ぐことはできません。500m以上の深さを漂っています。

キタミズクラゲ

Aurelia limbata

30㎝

キタミズクラゲもミズクラゲ属に属します。ときどき定置網に大量にかかって目詰まりさせてしまうこともあります。
ミズクラゲとの違いはまず棲息域が冷たい海域であること。北日本からオホーツク海、ベーリング海にかけて分布しています。見た目では傘縁（さんえん）が褐色の帯で縁取られているのがオシャレです。また水管系の網目が複雑に分岐している点もミズクラゲと異なる特徴です。

1000

2000

3000

4000

5000

【旗口クラゲ目】
ミズクラゲ科

いずれも刺胞動物門鉢虫綱（はちむしこう）の旗口
（はたくち）クラゲ目ミズクラゲ科に属します。
鉢虫綱の生活史は有性生殖で体外受精をした後、
横分裂（横分体形成）をしながらプラヌラ幼生を
経て無性世代のポリプ、ストロビラ、エフィラ、
メタフィラと変態を重ねて成熟クラゲになります。
固着のストロビラから遊泳のエフィラに移るとこ
ろが鉢虫綱の特徴になっています。この動きはス
トロビレーションといいます。ただ例外もあって
一生を外洋で浮遊生活するオキクラゲ（*Pelagia
panopyra*）は同じ旗口クラゲ目ですがポリプ世代
がなくプラヌラから直接エフィラになります。省
略発生といいます。

6000

7000

8000

9000

10000

ダイオウクラゲ

Stygiomedusa gigantea
傘径50cm腕長600cm

大王はイカやグソクムシだけではありません。
クラゲにもいます。

ダイオウクラゲは全長6m（あるいはそれ以
上）におよぶ巨大なクラゲで英名を Giant
phantom jelly といいます。長さの正体は口
腕（こうわん）で、妖怪一反木綿のような薄
い腕が4本たなびいています。映像で見る限
りとても筋肉質とは思えないのですが巻きつ
かせたりできるのでしょうか。傘の縁に見え
る白い点は平衡器（へいこうき）です。1属1
種。属名 Stygiomedusa に含まれるメデューサ
（Medusa）はギリシャ神話の髪の毛がヘビで
見た者を石に変える怪物のことで、クラゲの総
称としても用いられています。

リンゴクラゲ

Poralia rufescens
25cm

イラストではお皿を伏せたような形をしていま
すが泳ぐ時は丸く膨らむタイミングがあるので
真っ赤なリンゴのように見えます。非常に薄い
傘に太い放射管が走っていて4本以上の口腕
も薄く短くなっています。刺胞を使って他のク
ラゲを捕食する様子が観察されています。

生息水域
(メートル)

1000

2000

3000

4000

5000

6000

7000

8000

9000

10000

【旗口クラゲ目】
ミズクラゲ科

ここでご紹介する３種もすべて刺胞動物門鉢虫綱（はちむしこう）旗口（はたくち）クラゲ目ミズクラゲ科に属します。よく知るミズクラゲ（*Aurelia aurita*）とはずいぶん見た目が違いますね。

ところで鉢虫（スキフォゾア）という変わった名前の語源はポリプがギリシャのブドウ酒の杯を意味するスキフォスに似ているところからです。では旗口は？　これは４本の口腕（こうわん）が船舶の国際信号旗に似ているからといわれています。

ちなみに鉢虫綱にはあと冠（かんむり）クラゲ目と根口（ねくち）クラゲ目がいます。前者はクロカムリクラゲ（*Periphylla periphylla*・P216）など深海性が多いですが後者はタコクラゲ（*Mastigias papua*）やビゼンクラゲ（*Rhopilema esculenta*）など浅海性が多く食用になるのも大体この仲間です。また根口クラゲ目のストロビラは旗口クラゲ目のように皿を積み重ねた形（ポリディスク）にならないといった特徴があります。

ユビアシクラゲ

Tiburonia granrojo

75cm

指、あるいは足のようなものも口腕で触手はありません。口腕の本数は４〜７本とアバウトです。傘内面にあるピンク色の網目状は水管で、体の隅々まで栄養をいきわたらせる役目があります。種小名 granrojo は「大きな赤いもの」。

クロカムリクラゲ

Periphylla periphylla（*hiacinthina*）
30㎝

普段 12 本の触手をバンザイして泳ぎます。これは他のクラゲではあまり見られない行動です。一生を中層で過ごし固いものに接触する機会がないのでポリプやストロビラという固着の世代がありません。これは省略発生といいます。また性別のない無性世代とオスメスのある有性世代を繰り返す人生を歩んでいます。刺胞動物はポリプ（無性世代）とクラゲ（有性世代）が世代交代し、両世代が交互に現れると説明されることが多いようです。しかしポリプはクラゲを出した後もその姿を消すことなく存在し続けています。
食べた発光生物の光が外に漏れないよう胃袋は真っ黒なのも特徴です。*P. hiacinthina* と表記されることもありますがこれは同種異名（シノニム）になります。

ベニマンジュウクラゲ

Periphyllopsis braueri
20㎝

大きな 24 枚のヒラヒラ（縁弁 えんべん）をカメラの絞りのように閉じたり開いたりしながら泳ぎます。ただ最近はデジタルカメラが一般的なので、メカ的な機構である絞りといってももはや通じないかもしれませんね。
触手は 5 本ずつ 4 群に分かれ全部で 20 本あります。傘の表面は不透明な赤色をしています。深海では目立たなくなる色です。

ムラサキカムリクラゲ

Atolla wyvillei
14cm

１本だけ長い触手をたなびかせて泳ぎます。この触手の使い道ですが、カムリクラゲの仲間で胃の形が「×」に見えることからバツカムリクラゲ（*Atolla vanhoeffeni*）と呼ばれる種類がいます。これが長い触手を使ってシダレザクラクラゲ（*Nanomia bijuga*）を捕らえる様子が相模湾で観察されています。

生息水域
（メートル）

1000

2000

3000

4000

5000

6000

7000

8000

9000

10000

【冠クラゲ目】
クロカムリクラゲ科、ヒラタカムリクラゲ科

すべて刺胞動物門鉢虫綱（はちむしこう）冠クラゲ目に属します。1,000m付近までの中層を漂い生物発光することが知られています。ベニマンジュウクラゲとクロカムリクラゲはクロカムリクラゲ科に属します。ムラサキカムリクラゲはヒラタカムリクラゲ科に属します。私たちが普段水族館などで見るクラゲは透明で内部が透けて見える種類がほとんどですが、ここに登場するクラゲはこのように体全体を赤色にしたり胃袋を黒くしたり、さらに生物発光させたりと、深海に適応したクラゲといえます。

花虫綱八放サンゴ亜綱

すべて刺胞動物門花虫綱（はなむしこう）八放サンゴ亜綱に属し、枝先のポリプが8本の触手を広げてプランクトンをキャッチするという共通の特徴を持ちます。さらに体を横に切って断面を見ると8個の小部屋に分かれていることが分かります。ミカンの輪切を想像するとイメージできるかもしれません。それぞれの房が小部屋で胃腔（いこう）といいます。隣り合う房を隔てているのが隔膜（かくまく）で数は8と決まっています。ちなみに花虫綱はこの八放サンゴ類と六放サンゴ類の2つに分けられます。

オオキンヤギ

Primnoa resedaeformis
100cm

日本では北海道の日本海西方沖、後志（しりべし）海山から知られています。頂上の水深は100m、ふもとは3,000mでその中腹500m付近に棲息しています。通常のサンゴは炭酸カルシウムでできていて力を加えると簡単にポキッと折れてしまうのに対し、ヤギの殻は特別なタンパク質に石灰の混じった素材になっていて固くしなやかであるという特徴を持っています。一見すると華奢ですが折ることも切ることも容易ではありません。

マッシュルームソフトコーラル

Anthomastus ritteri
15cm

エサとなるプランクトンが少ない時は触手を引っ込めてマッシュルームのような塊になります。悠然としているのでときどきカニが乗っかったりトラザメの仲間がこの上に卵を産んでしまったりします。

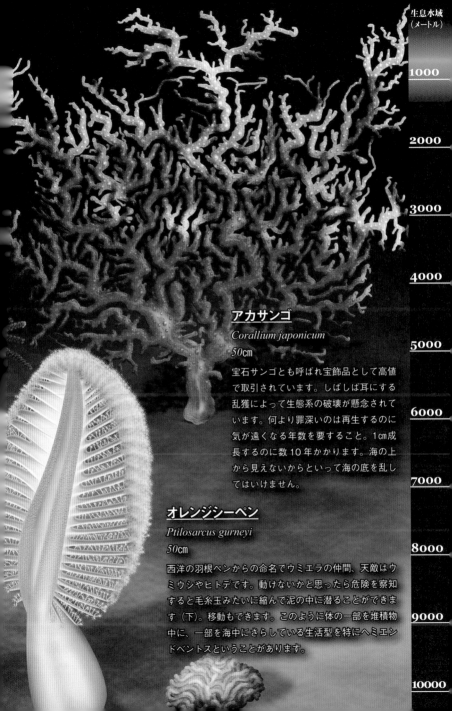

1000

2000

3000

4000

アカサンゴ

Corallium japonicum
50cm

宝石サンゴとも呼ばれ宝飾品として高値
で取引されています。しばしば耳にする
乱獲によって生態系の破壊が懸念されて
います。何より罪深いのは再生するのに
気が遠くなる年数を要すること。1cm成
長するのに数10年かかります。海の上
から見えないからといって海の底を乱し
てはいけません。

5000

6000

オレンジシーペン

Ptilosarcus gurneyi
50cm

西洋の羽根ペンからの命名でウミエラの仲間、天敵はウ
ミウシやヒトデです。動けないかと思ったら危険を察知
すると毛糸玉みたいに縮んで泥の中に潜ることができま
す（下）。移動もできます。このように体の一部を堆積物
中に、一部を海中にさらしている生活型を特にヘミエン
ドベントスということがあります。

7000

8000

9000

10000

クラゲイソギンチャク

Actinoscyphia japonicus

7cm

ハエジゴクイソギンチャクとも呼ばれ、まさし
く食虫植物のハエトリソウみたいな姿をしてい
ます。2つ折りの口盤（こうばん）がガマ口の
ように開閉し周囲の触手で檻を作ってエサ生物
を捕らえてしまいます。忘れてはいけないのが
刺胞動物であること、毒針を使ってエサ生物
を麻痺させて消化吸収してしまいます。英名は
Venus flytrap sea anemone。イソギンチャク目
クラゲイソギンチャク科に属します。2012 年
にはバハマ沖調査で同属の仲間が発光液を放出
することが分かりました。敵に襲われた時に粘
着性のある発光物質を相手に付着させ、別の捕
食者がそちらに気を向けるように仕向けて難を
逃れていると考えられています。

ホルマシア　パシフィカ

Hormathia pacifica

3.9cm

イソギンチャク目クビカザリイ
ソギンチャク科、東太平洋カリ
フォルニア沖タニー海山（Taney
Seamounts）の 2,882m から報告
されています。火山性の玄武岩基
質に見られますが、足盤（そくば
ん）が吸盤のようになっていて、
固着できる岩場のない砂泥質では
しばしば巻貝の殻に付着すること
があります。

【刺胞動物門】

花虫綱六放サンゴ亜綱

	生息水域
	(メートル)

下部漸深底帯に棲息する刺胞動物門花虫綱（はなむしこう）六放サンゴ亜綱の
仲間です。八放サンゴとの違いは、触手と体を輪切りにした時の胃腔（いこう）
が6の倍数になっていることです。八放サンゴと違って1個虫（こちゅう）の
単体やイシサンゴのように多数の個虫がつながった群体までこちらは多種多様
です。さらに分割した空間の胃腔は6とは限らずその倍数で、それを仕切る隔
膜（かくまく）も完全隔膜と不完全隔膜があることから数を調べるのは苦労し
ます。
生活史はクラゲとほぼ同じで有性生殖による体外受精後はプラヌラの世代を経
て着底し、その後はポリプとして一生を過ごします。

ロフェリア　ペルツサ

Lophelia pertusa
数 *10*cm〜数 *M*

イシサンゴ目チョウジガイ科に属す冷水性のサンゴです。80〜3,000mと幅
広い深さに棲息しますが、とくにノルウェーからポルトガルの大陸辺縁部では
1,500mに達する深さに沿って4,500kmにわたり分布しています。群生としては
ノルウェー沖（Roest reef）が有名で幅3km、長さ40kmに及びます。南半球では
ニュージーランドでも確認されています。太さ3〜10mmの枝状骨格を形成し丸い
ポリプのところで曲がります。成長速度は年4〜25mmと比較的早くて群体となり
やすい一方、ポリプが生きている部分は末端の20〜数cmに限られ、根元は他の生
物に侵食されて強度は弱くなりがちです。4〜13℃の海水温で棲息、北東大西洋
ではヨーロッパオオハネガイ（*Acesta excavata*）と共存しています。

1000
2000
3000
4000
5000
6000
7000
8000
9000
10000

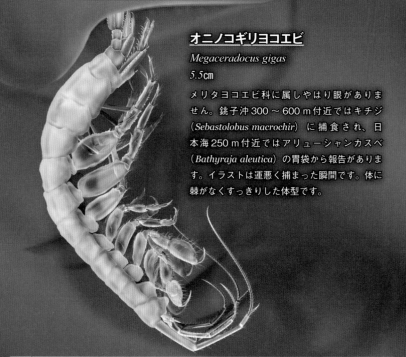

オニノコギリヨコエビ

Megaceradocus gigas

5.5cm

メリタヨコエビ科に属しやはり眼がありません。銚子沖300〜600m付近ではキチジ（*Sebastolobus macrochir*）に捕食され、日本海250m付近ではアリューシャンカスベ（*Bathyraja aleutica*）の胃袋から報告があります。イラストは運悪く捕まった瞬間です。体に棘がなくすっきりした体型です。

【端脚目】
ヨコエビ亜目

ヨコエビ類といえばフクロエビ上目端脚目を代表する甲殻類です。体が左右に扁平で横倒しになっていることが多いためヨコエビと呼ばれ、全世界の海水、淡水に約1万種が知られていますがまだまだ未記載種も多いグループです。陸上ではトビムシ、水辺ではヨコエビ、深海ではソコエビ、と名付けられることが多いようです。

オスメス別々（雌雄異体）でメスのお腹には育房（いくぼう）というフクロがあってここで子供たちを育てます。海中に浮遊する幼生期がありません。保育の生態はワレカラ類やタルマワシ類で研究が進んでいます。特にオオタルマワシ（*Phronima sedentaria*・P010）は幼体をウミタルなどの内壁に産みつけて孵化まで守る習性があります。ちなみに別のグループ、等脚目のオニナナフシ（*Arcturus crassispinis*・P248）やコツブムシの仲間も同じように子供を育てます。

またヨコエビ類の大部分は1cm以下ですが深海や高緯度にいくほど大きくなる傾向にあります。たとえば超深海に棲むカイコウオオソコエビ（*Hirondellea gigas*・P224）は5cm、ダイダラボッチ（*Alicella gigantea*・P227）にいたっては30cmを超えます。また淡水のバイカル湖では300種近くが独自の進化を遂げたりしています。

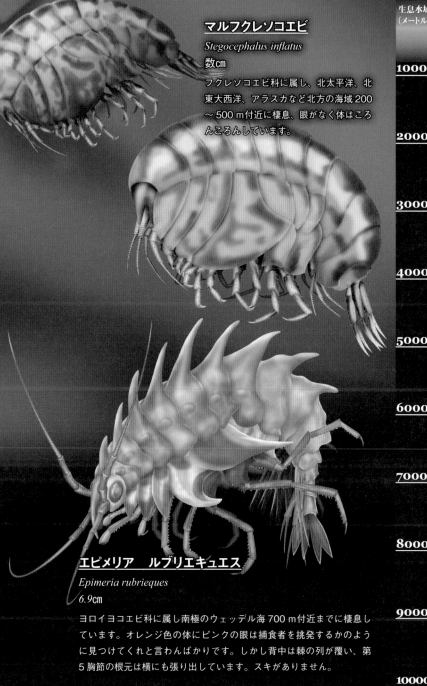

マルフクレソコエビ

Stegocephalus inflatus

数cm

フクレソコエビ科に属し、北太平洋、北
東大西洋、アラスカなど北方の海域200
〜500 m付近に棲息、眼がなく体はころ
んころんしています。

1000

2000

3000

4000

5000

6000

7000

エピメリア　ルブリエキュエス

Epimeria rubrieques

6.9cm

ヨロイヨコエビ科に属し南極のウェッデル海700 m付近までに棲息し
ています。オレンジ色の体にピンクの眼は捕食者を挑発するかのよう
に見つけてくれと言わんばかりです。しかし背中は棘の列が覆い、第
5胸節の根元は横にも張り出しています。スキがありません。

8000

9000

10000

フトヒゲソコエビ上科、パルダリシダ科

最も深い海底に棲む甲殻類として知られています。

カイコウオオソコエビ

Hirondellea gigas

全長 *4.5*cm

マリアナ海溝チャレンジャー海淵の最深部 10,911m から得られています。端脚目フトヒゲソコエビ上科に属し、超深海に特化した体質になっています。黄色っぽい脂肪に満たされ地上に引き上げると溶け出てしまいます。

通常の生物では利用できない植物のセルロースを分解してグルコースにする酵素（セルラーゼ、アミラーゼ、マンナナーゼ、キシラナーゼなど）を持っていて沈木の繊維質さえ栄養源にしてしまう逞しさです。さらにタンパク質や脂質をも分解する酵素（プロテアーゼ、リパーゼなど）を持っているので何でも栄養にしてしまうスーパーな生き物です。

ただしその結果「生物濃縮」という新たな問題が最近クローズアップされてきました。残留性有機汚染物質 POPs の一種 PCBs（ポリ塩化ビフェニル）は 2004 年のストックホルム条約で製造使用輸入は禁止されましたが、安定した物質ゆえ大量に自然界に残存しています。マイクロプラスチックがこの PCBs を吸着してしまい海洋生物の体内に取り込まれ、体内でマイクロプラスチックから剥離した PCBs が脂肪組織に蓄積されることを生物濃縮といいます。食物連鎖で食べたり食べられたりの果てに深海に沈降していき、そしてマリアナ海溝のエビから高濃度の PCBs が検出されるにいたっています。

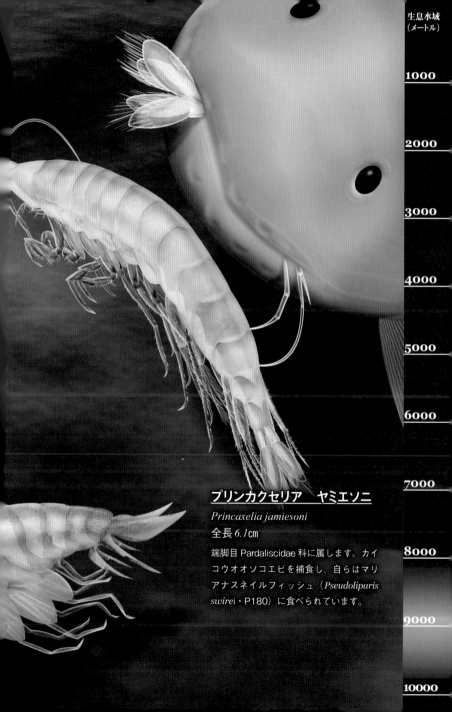

生息水域
（メートル）

1000

2000

3000

4000

5000

6000

7000

プリンカクセリア　ヤミエソニ

Princaxelia jamiesoni
全長 *6.1*cm

端脚目 Pardaliscidae 科に属します。カイコウオオソコエビを捕食し、自らはマリアナスネイルフィッシュ（*Pseudoliparis swirei*・P180）に食べられています。

8000

9000

10000

ダイダラボッチ科、Eurytheneidae科、エンマノタナイス科

日本各地には古くから様々な巨人伝説があります。ダイダラボッチ（大太郎法師）もその1つで、土をすくって山を作ったとか歩いた跡が湖になったといった話が各地の風土記などに残っています。ちなみに対極にある話が一寸法師です。

さて通常数mmからせいぜい10数cm程度のヨコエビ（端脚目）の仲間が超深海の巨大化傾向（gigantism）の結果、ひと抱えもある大きさに成長しました。極域の海水は低温なので溶存する酸素濃度が高く生物の代謝が低くなる結果、酸素をあまり消費しません。したがって循環器系や呼吸器系が発達していない生き物でも体中に酸素を行き渡らせることができるので大型化が可能になったと考えられます。それにしても巨大です。

フクロエビ上目タナイス目は千数100種が知られていてメスからオスに性転換（雌性先熟　しせいせんじゅく）します。多くの甲殻類はオスからメス（雄性先熟　ゆうせいせんじゅく）なのでタナイス目は逆ですね。オスは大きなはさみを持つものが多くいます。他の端脚目や等脚目同様メスのお腹に卵や子供を抱く袋を持っています。普段は海底に穴を掘り、糸を分泌して棲管（せいかん）を作りその中で生活しています。中にはトンネルを使ったりヤドカリのように巻貝の殻を背負う種類もいます。タナイスの名はロシアにあるドン川（コサックが登場する小説『静かなドン』の舞台）という川の旧名が由来になっています。棚も椅子も関係ありません。

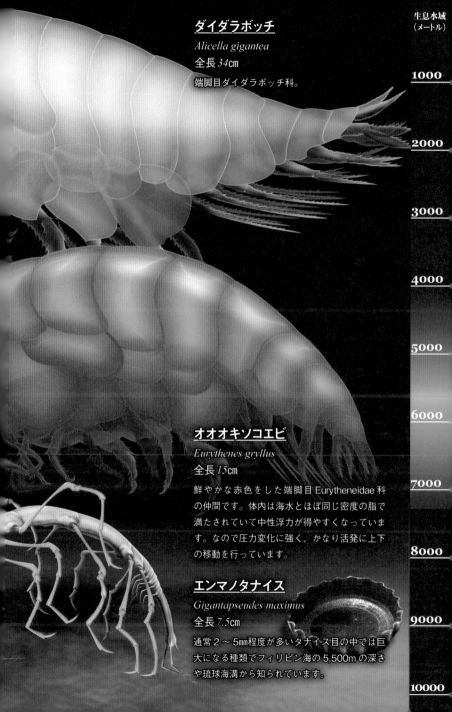

ダイダラボッチ

Alicella gigantea

全長 *34*cm

端脚目ダイダラボッチ科。

1000

2000

3000

4000

5000

6000

オオオキソコエビ

Eurythenes gryllus

全長 *15*cm

鮮やかな赤色をした端脚目 Eurytheneidae 科
の仲間です。体内は海水とほぼ同じ密度の脂で
満たされていて中性浮力が得やすくなっていま
す。なので圧力変化に強く、かなり活発に上下
の移動を行っています。

エンマノタナイス

Gigantapseudes maximus

全長 *7.5*cm

通常 2 ～ 5mm程度が多いタナイス目の中では巨
大になる種類でフィリピン海の 5,500m の深さ
や琉球海溝から知られています。

ヒオドシエビ科、
オキエビ科、
オオベニアミ科

中層遊泳性の、エビの仲間とオオベニアミです。

ヒオドシエビ

Acanthephyra purpurea

全長 *12*㎝

茹でてもいないのに深紅のエビです。ヒオドシは緋
縅（ひおどし）が語源の難しい言葉です。調べてみ
ると緋色（ひいろ）の縅（おどし）。つまり赤く色を
付けた武士の甲冑の一部を糸などでつづり合わせた
もののことをいうようです。

ヒオドシエビ科に属します。全体が赤いので深海で
は闇の中に紛れてしまえますが万一襲われた時は発
光液を噴射して相手がそれに気を取られている間に
逃げます。また全ての胸脚に発光器を備えています。
中層遊泳性で日周鉛直移動をおこない、日中は900
〜千数100mに潜んでいて夜間に浮上します。見た
目は全身が側扁していて甲の部分は軟らかく、おで
こには長い角（額角＝がっかく）が伸びていて上と
下両方の縁に棘を持っています。太平洋、インド洋、
大西洋に幅広く分布しています。

ショウジョウエビ

Glyphus marsupialis

全長 *18*cm

猩猩蝦と書き抱卵亜目（ほうらんあもく）オキエビ科に
属します。猩猩は中国伝来で猿に似た架空の森の主をい
います。お酒が好きで赤い体毛を持った生き物として描
かれています。あるいはオランウータンを指す場合もあ
ります。ちなみに赤い眼をしたショウジョウバエもお酒
にたかるとされることから語源は同じです。

猩猩の名は昭和天皇が大正 7 年、沼津御用邸の浜に打ち
上げられたこのエビを偶然見つけたことから命名されま
した。当初、種小名に「天皇」を含む *Sympasiphaea
imperialis* の名前で記載されましたがその後の研究で既
知の種類と判明しました。ヒオドシエビ同様、体は側扁
していますが第 2 腹節（ふくせつ）が大きくズングリし
た印象で額角は短めです。英語では Kangaroo shrimp と
いいます。

1000

2000

3000

4000

5000

6000

7000

トゲベニオオアミ

Gnathophausia zoea

全長 *10*cm

ギリシャ語のタウ（τ）の形をしたトゲベニオオアミはエ
ビではありません。ロフォガスター目オオベニアミ科に
属します。イラストは若い個体で透明かつ前後に長い棘
があり、捕食者がためらう姿をしていますがこの棘は成
長するにしたがって短くなります。成体は鮮やかな紅色
になります。和名をオオベニアミとする資料もあります。

8000

9000

10000

センジュエビ科、チヒロエビ科

正体不明の子供。幼体の方が先に見つかっている例です。北大西洋の表層を泳ぐカツオやキハダ類の胃の中からクルマエビ上科の幼体と思われる不思議な形をした甲殻類が発見されました。その容貌から学名には「怪物のような（*Cerataspis monstrosa*）」と名付けられました。大きさは1.2㎝程度、長らく成体が不明でしたが180余年の年月を経てミトコンドリア解析によってミツトゲチヒロエビ（*Plesiopenaeus armatus*）であることが分かりました。しかし*P.armatus*が記載されたのは1881年だったため、それより早い1828年に記載された幼体の方に先取権があります。なので*P.armatus*の方が広く使われていましたが、*C.monstrosa*が正式名とされています。

ミツトゲチヒロエビは十脚目チヒロエビ科で、本種が属すミツトゲチヒロエビ属以外に、ツノナガチヒロエビ属(Aristaeomorpha)、Aristaeopsis属、ヒカリチヒロエビ属（Aristeus）、Austropenaeus属、ヤワチヒロエビ属（Hemipenaeus）、ベニチヒロエビ属（Hepomadus）、Parahepomadus属、Pseudaristeus属の8属が知られています。またミツトゲチヒロエビ属の幼体として3種（*C.affinis*、*C.longiremis*、*C.petiti*）が見つかっていますが親が誰か分からず、ひょっとしたらこの6属に該当する可能性もあります。

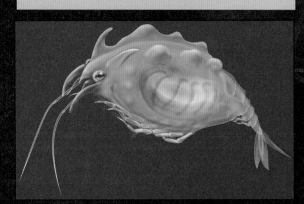

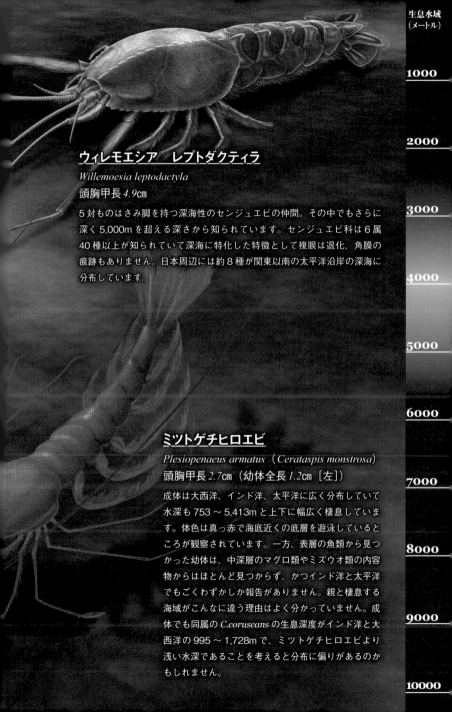

（メートル）

1000

2000

ウィレモエシア　レプトダクティラ

Willemoesia leptodactyla

頭胸甲長 *4.9*cm

5対ものはさみ脚を持つ深海性のセンジュエビの仲間。その中でもさらに
深く5,000mを超える深さから知られています。センジュエビ科は6属
40種以上が知られていて深海に特化した特徴として複眼は退化、角膜の
痕跡もありません。日本周辺には約8種が関東以南の太平洋沿岸の深海に
分布しています。

3000

4000

5000

6000

ミツトゲチヒロエビ

Plesiopenaeus armatus（*Cerataspis monstrosa*）

頭胸甲長 *2.7*cm（幼体全長 *1.2*cm［左］）

成体は大西洋、インド洋、太平洋に広く分布していて
水深も753～5,413mと上下に幅広く棲息していま
す。体色は真っ赤で海底近くの底層を遊泳していると
ころが観察されています。一方、表層の魚類から見つ
かった幼体は、中深層のマグロ類やミズウオ類の内容
物からはほとんど見つからず、かつインド洋と太平洋
でもごくわずかしか報告がありません。親と棲息する
海域がこんなに違う理由はよく分かっていません。成
体でも同属の*C.coruscans*の生息深度がインド洋と大
西洋の995～1,728mで、ミツトゲチヒロエビより
浅い水深であることを考えると分布に偏りがあるのか
もしれません。

7000

8000

9000

10000

シンカイソコチヒロエビ

Benthesicymus crenatus

全長 20cm

十脚目根鰓亜目（こんさいあもく）
オヨギチヒロエビ科ソコチヒロエ
ビ属に属します。ちなみに同じ深
海産で知られるチヒロエビ科は海
底に棲息しています。

オヨギチヒロエビ科は遊泳性で
日周鉛直移動をおこなう種類が
多くいます。この種は太平洋の
9,000m を超える超深海からも得
られていますが、主として北西、
中央太平洋の 3,530 ～ 6,350m 付
近に棲息しています。日本近海で
は 1987 年の調査で南西諸島の海
溝、水深 6,300 ～ 6,400m の深さ
から調査船蒼鷹丸（そうようまる）
で採集されました。続く 1990
～ 1991 年には四国海盆（水深
4,600m ～ 4,900m）と硫黄島東方
海域（水深 5,300m）で採集され
これが日本初記録となっています。

1000

クラゲナマコ

Pelagothuria natatrix

胴長 6cm

2000

普段知っているナマコの地味さを覆す優雅さです。ナマコ綱
板足目(ばんそくもく)クラゲナマコ科に属します。あの深
海底にいるユメナマコ(*Enypniastes eximia*・P310)も同じ
クラゲナマコ科です。お互い出会うことはありませんけどね。

3000

生涯を浮かんで暮らし現存する真の漂泳性の棘皮動物として
は唯一、1属1種の存在です。一見するとタコかクラゲのよ
うにも見えます。足に見えるのは 12 本のヒレ状につながった
管足(かんそく)です。ヒレは非常に薄い膜になっていてほ
ぼ透明、お腹側で 1 か所途切れています。そして口の周りに
は先端が二叉(にさ)になった約 15 本の触手が取り囲むよう
に並んでいます。

4000

5000

遊泳中は極めてゆっくりした羽ばたきを見せるのでタコやク
ラゲの俊敏な動きとは違います。浮遊性貝類の仲間である翼
足類(よくそくるい)を獲っていることが胃の内容物から分
かっています。一生、固形物を知ることなく触れることもな
く漂うってどんな感覚でしょうね。6,700m を超える深さから
知られています。

6000

7000

【十脚目・板足目】

オヨギチヒロエビ科、 クラゲナマコ科

8000

9000

海底から遠く離れ四方八方を海水に囲まれた深海層を泳ぐ節足動物と
棘皮動物という異種を紹介します。

10000

【十脚目】
エビジャコ科

エビでもなくシャコでもないエビジャコ科というグループがあります。

十脚目抱卵亜目（ほうらんあもく）コエビ下目の一員で第1胸脚（きょうきゃく）が不完全なはさみ脚になっていて可動指が鎌状になっているという共通の特徴を持ちます。亜鋏状（あきょうじょう subchelate）といいます。

ダイオウキジンエビはエビジャコ類の中では最も大きくなり20cmを超えます。北海道の知床羅臼ではガサエビとして古くから獲られていましたが学術的に記載されるのは最近のこと、2016年に新種として報告されました。属名 Sclerocrangon は「硬い＋小さなエビ」、種小名 rex は「王」を意味します。漢字で書くと大王鬼神蝦、すごいキャラクターを想像しますね。キジンエビ属はこの種で9種目。東太平洋産の1種を除く7種は北半球に分布し、そのうち日本近海には6種、キタザコエビ（*S.boreas*）、キジンエビ（*S.salebrosa*）、オホーツクキジンエビ（*S.derjuginii*）、メイフノキジンエビ（*S.zenkevitchi*）、トゲキジンエビ（*S.unidentata*）、コウダカキジンエビ（*S.igarashii*）が陸棚上部から陸棚斜面にかけて棲息しています。

このうちキタザコエビとキジンエビは日本海からも記録があります。額の角（額角＝がっかく）の両側にギザギザがあるところから既知のオホーツクキジンエビやコウダカキジンエビに近いと考えられていますが眼の後ろの隆起したところに小さな棘がある点が固有の特徴になっています。見た目はともかく味はいいとされています。

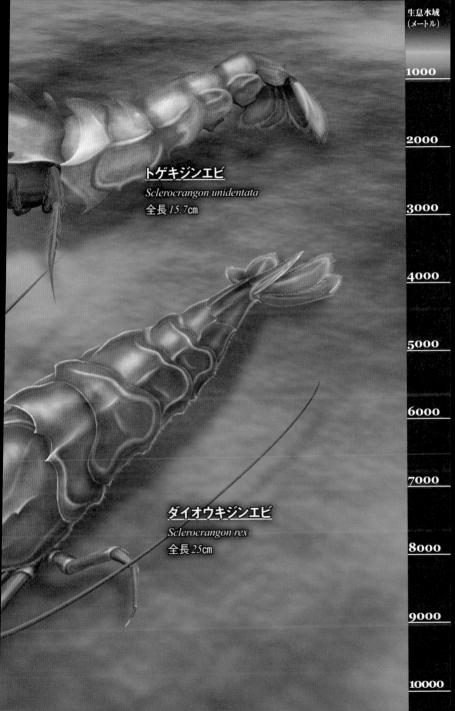

生息水域
（メートル）

1000

2000

トゲキジンエビ
Sclerocrangon unidentata
全長 *15.7*cm

3000

4000

5000

6000

7000

ダイオウキジンエビ
Sclerocrangon rex
全長 *25*cm

8000

9000

10000

コシオリエビ上科

軟甲綱十脚目（エビ目）異尾下目（ヤドカリ下目）コシオリエビ上科というところに属します。エビという名が紛らわしいですがお腹は内側に折り曲げています。腰折りの由来ですね。かといってカニとも違います。コシオリエビ類はすべてヤドカリの仲間です。3対の歩脚の後ろに鰓室（さいしつ）を掃除するための小さな脚が1対持ち上がっています。ちなみにエビは根鰓亜目（こんさいあもく）または抱卵亜目（ほうらんあもく）で、カニは短尾下目（たんびかもく）という分類なので、異尾下目（いびかもく）のヤドカリは全く異なるグループになります。

ここではオオコシオリエビとアカツノチュウコシオリエビ、アデヤカチュウコシオリエビがチュウコシオリエビ科に属し、残る1種、オカダシンカイコシオリエビがシンカイコシオリエビ科に属します。

浅い所にいるコシオリエビの仲間は全般に小さく、甲長は1cmに満たない大きさなので食べるところはほとんどありません。深海産はこのオオコシオリエビの5cm超えをはじめ、大きくなる傾向があるので食用に供され、実際美味です。

アカツノチュウコシオリエビ

Munida andamanica
頭胸甲長2cm

アカツノチュウコシオリエビは額にある3本の角のうち真ん中の1本が赤くなっています。

オオコシオリエビ

Cervimunida princeps
頭胸甲長6.3cm

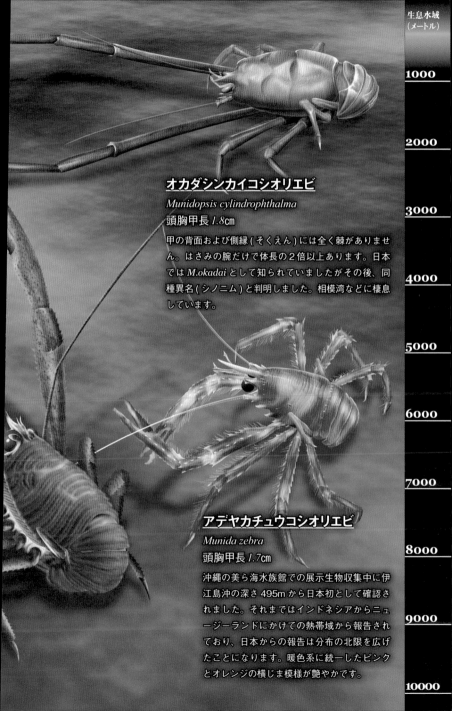

生息水域
(メートル)

1000

2000

3000

4000

5000

6000

7000

8000

9000

10000

オカダシンカイコシオリエビ

Munidopsis cylindrophthalma
頭胸甲長 *1.8*cm

甲の背面および側縁(そくえん)には全く棘がありません。はさみの腕だけで体長の2倍以上あります。日本では *M.okadai* として知られていましたがその後、同種異名(シノニム)と判明しました。相模湾などに棲息しています。

アデヤカチュウコシオリエビ

Munida zebra
頭胸甲長 *1.7*cm

沖縄の美ら海水族館での展示生物収集中に伊江島沖の深さ495mから日本初として確認されました。それまではインドネシアからニュージーランドにかけての熱帯域から報告されており、日本からの報告は分布の北限を広げたことになります。暖色系に統一したピンクとオレンジの横じま模様が艶やかです。

タカアシガニ
Macrocheira kaempferi
両脚長300㎝甲幅30㎝

1

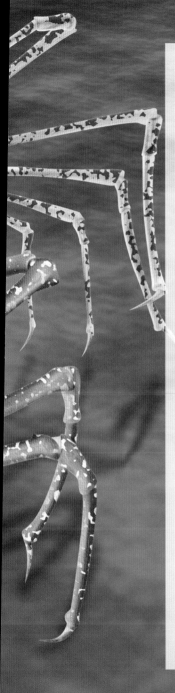

【十脚目】

クモガニ科

十脚目クモガニ科は一般に長い脚を持っています。タカアシガニは世界最大の節足動物で脚を広げると差し渡し3.5mを超える大きさになります（ギネスブック記録は5.79m）。1属1種で属名Macrocheiraは「大きな腕」、オスの方が長くなります。英名はJapanese giant crab、またはJapanese spider crab。

日本の太平洋側、東北より南に分布しています。美味しく食べられる種類ですが陸に揚げると自己消化が進み、次第に水っぽくなってしまいますので食感はどうしても日本海の高級ガニには劣ります。タカアシガニは日本特産ですが日本固有種ではありません。台湾沖からも採取されたりしているようです。

ここまで大きいと脱皮にも数時間かかり命がけで重労働です。甲羅を柔らかくして殻を脱ぎ捨てる時に力尽きてそのまま絶命してしまうこともしばしばあるようです。脱皮殻はカニの姿そのままの形で残り、本体の方は3割増しくらいの大きさになります。

タカアシガニは浜辺を走るすばしっこいカニと違って前後にゆっくり歩きます。カニは横にしか歩けない種類と縦にも歩ける種類がいます。縦歩きは一般に甲が前後に長く、前方に向かって細くなる傾向にあります。またこの甲の形状に沿って脚が斜め方向に並んでいる（お腹から見るとVの字に配列している）ため前後に動かす際、お互いの脚が邪魔になりません。一方、横歩きのカニの甲は横に長く、脚も左右平行に並んでいるため前後に動かすことが困難な配置になっています。駿河湾の200～500mの海底を集団でのっしのっしと歩く様はエイリアンの襲来さながらの迫力ある光景です。

1000

2000

3000

4000

5000

6000

7000

8000

9000

10000

【十脚目】
タラバガニ科

似た名前が多いですがすべてタラバガニ科に属します。カニの王様（King of crab）であるタラバガニ（*Paralithodes camtschaticus*）やハナサキガニ（*P.brevipes*）に代表されるタラバガニ科は異尾下目（いびかもく）でヤドカリの仲間です。ちなみにカニは短尾下目（たんびかもく）。

4対めの歩脚は甲羅の内側に収まっているので外からは1対のはさみと3対の脚だけが見えています。またヤドカリの特徴で右のはさみの方が大きくなっています。巻貝を背負ったヤドカリは体を引っ込めた時に大きな右手の方を蓋代わりにします。その名残なんですね。中には左右大きさが逆転した個体も見られます。

エゾイバラガニとイガグリガニの2種はエゾイバラガニ属、イバラガニ、ハリイバラガニ、イバラガニモドキの3種はイバラガニ属に属します。

ハリイバラガニ

Lithodes longispina
甲長 *14*cm

ハリイバラガニは特に棘の生え方が過激で成体になっても長いままです。額角（がっかく）はカブトムシさながらですね。

イガグリガニ

Paralomis hystrix
甲長 *15*cm

種小名hystrixは「ヤマアラシ」。この棘1本1本にも身が詰まっていてなかなか美味なんですがまとまって獲れないためあまり流通はしていません。またここには登場しませんがイガグリガニモドキ（*P.hystrixoides*）という種類もいます。イガグリガニは甲長より甲幅が大きく、甲羅上の棘の根元が顕著に膨れて球状になり、歩脚の長い節は太くて前縁が張り出して湾曲する、といった特徴でイガグリガニモドキとは区別されます。

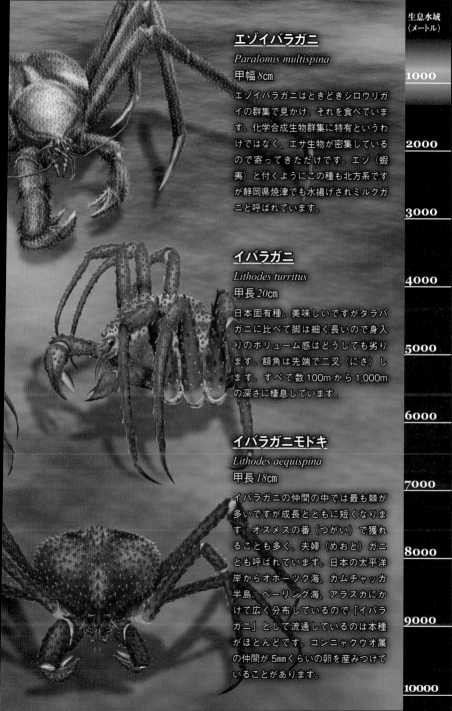

生息水域
(メートル)

1000

2000

3000

4000

5000

6000

7000

8000

9000

10000

エゾイバラガニ

Paralomis multispina
甲幅8cm

エゾイバラガニはときどきシロウリガイの群集で見かけ、それを食べています。化学合成生物群集に特有というわけではなく、エサ生物が密集しているので寄ってきただけです。エゾ（蝦夷）と付くようにこの種も北方系ですが静岡県焼津でも水揚げされミルクガニと呼ばれています。

イバラガニ

Lithodes turritus
甲長20cm

日本固有種。美味しいですがタラバガニに比べて脚は細く長いので身入りのボリューム感はどうしても劣ります。額角は先端で二又（にさ）します。すべて数100mから1,000mの深さに棲息しています。

イバラガニモドキ

Lithodes aequispina
甲長18cm

イバラガニの仲間の中では最も棘が多いですが成長とともに短くなります。オスメスの番（つがい）で獲れることも多く、夫婦（めおと）ガニとも呼ばれています。日本の太平洋岸からオホーツク海、カムチャッカ半島、ベーリング海、アラスカにかけて広く分布しているので「イバラガニ」として流通しているのは本種がほとんどです。コンニャクウオ属の仲間が5mmくらいの卵を産みつけていることがあります。

【十脚目】
ヤドカリ科、オキヤドカリ科、
ツノヤドカリ科

オキヤドカリ科は深海性のヤドカリです。水深200～1,000m付近が生活の場ですが種類によっては5,000mを超える深海からも知られています。ここではさらにツノヤドカリ科とヤドカリ科のヤドカリも紹介します。

キンチャクヤドカリ
Paguropsis typica
前甲長 *1.8*cm

キンチャクヤドカリも変わったヤドカリです。貝ではなく袋状になったスナギンチャクの内側の縁近くをはさみ状の第4胸脚でしっかりとつかみ、引っ張ることでスナギンチャクを「穿（は）いて」いるのです。英語では「毛布をまとう」と表現されます。

幼生時代はプランクトンで浮遊しているのでいつスナギンチャクを見つけてどのように穿いているのかその過程はナゾです。体にピチっとフィットしているのか気持ちよさそうです。

ヤドカリ科に属し、九州パラオ海嶺、南シナ海、フィリピン、インドネシア、ニューカレドニア、オーストラリア東岸から得られています。

ユメオキヤドカリ
Paragiopagurus diogenes
前甲長 *1.1*cm

日本では古くから知られたヤドカリです。イラストはエッチュウバイ（*Buccinum striatissimum*）を背負っています。ユメオキヤドカリの仲間（*Paragiopagurus sp.*）はサツマハオリムシ（*Lamellibrachia satsuma*）の棲管に入り込んでいた例もあります。

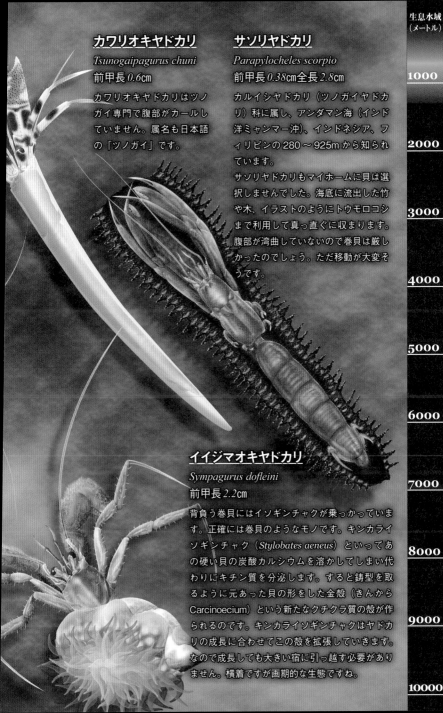

カワリオキヤドカリ

Tsunogaipagurus chuni
前甲長 *0.6*cm

カワリオキヤドカリはツノガイ専門で腹部がカールしていません。属名も日本語の「ツノガイ」です。

サソリヤドカリ

Parapylocheles scorpio
前甲長 *0.38*cm全長 *2.8*cm

カルイシヤドカリ（ツノガイヤドカリ）科に属し、アンダマン海（インド洋ミャンマー沖）、インドネシア、フィリピンの280〜925mから知られています。

サソリヤドカリもマイホームに貝は選択しませんでした。海底に流出した竹や木、イラストのようにトウモロコシまで利用して真っ直ぐに収まります。腹部が湾曲していないので巻貝は厳しかったのでしょう。ただ移動が大変そうです。

イイジマオキヤドカリ

Sympagurus dofleini
前甲長 *2.2*cm

背負う巻貝にはイソギンチャクが乗っかっています。正確には巻貝のようなモノです。キンカライソギンチャク（*Stylobates aeneus*）といってあの硬い貝の炭酸カルシウムを溶かしてしまい代わりにキチン質を分泌します。すると鋳型を取るように元あった貝の形をした金殻（きんから Carcinoecium）という新たなクチクラ質の殻が作られるのです。キンカライソギンチャクはヤドカリの成長に合わせてこの殻を拡張していきます。なので成長しても大きい宿に引っ越す必要がありません。横着ですが画期的な生態ですね。

生息水域
（メートル）

1000

2000

3000

4000

5000

6000

7000

8000

9000

10000

キワ科、コシオリエビ科、シンカイコシオリエビ科

熱水噴出域には色々な甲殻類が生を育んでいます。

キワ　ティレリ

Kiwa tyleri
頭胸甲長 4.7cm

2015年に南極近くの東スコシアリッジの深さ 2,400m から得られています。英名は Hoff crab と付いていますがカニ（crab）ではありません。お腹を胸の下に折り込んでいるのでカニに見えるだけ、十脚目キワ科に属します。ホフ（Hoff）の方は知っている人にしか分かりませんがアメリカの TV ドラマにかつて「ナイトライダー」という番組がありました。その中で一躍有名になった俳優デビッド・（ハッセル）ホフに因んで命名されたようです。彼の毛深さからの連想と思われます。

キワ　ヒルスタ

Kiwa hirsuta
頭胸甲長 5.1cm

十脚目キワ科。2005年にイースター島沖の 2,300m から採取されました。Kiwa はマオリ神話で海の男性守護神を意味します。イースター島は東太平洋にあるチリ領の絶海の孤島、モアイ像が有名ですね。種小名の hirsuta はラテン語で「毛むくじゃら」。白っぽくて毛むくじゃらなところから雪男を連想しイエティロブスター（Yeti lobster）と呼ばれています。甲羅にあるスマイルマークはワンポイントです。ゴエモンコシオリエビと同じく特殊なバクテリアを体毛の中に飼育していて熱水から噴き上がる硫化水素を分解させ、栄養を梳（す）きとってエサにしています。

ゴエモンコシオリエビ

Shinkaia crosnieri
頭胸甲長 5㎝

ゴエモンコシオリエビはコシオリエビ科の
仲間で釜茹での刑に処せられた石川五右衛門
からの命名であることはすっかり知られると
ころとなりました。実際に生活している環境
は周囲の水温よりやや高い 4 〜 6℃付近がお
好みです。胸やお腹に毛が密生していてここ
にバクテリアを"養殖"しています。外部共
生といいます。器用にはさみを使ってバクテ
リアをかき取り、口に運んでいます。また 5
対めの脚は極端に小さくて甲羅の下に収納し
ていることが多いので一見すると 4 対に見
えます。1 亜科 1 属 1 種です。

ミョウジンシンカイコシオリエビ

Munidopsis myojinensis
頭胸甲長 2.6㎝

伊豆・小笠原弧の水深 1,250m にある明
神海丘の熱水噴出域から報告されていま
す。甲羅が縦長で横方向に多くのシワが
走っています。シンカイコシオリエビ科
に属します。

1000

2000

3000

4000

5000

6000

7000

8000

9000

10000

オオベニアミ

Gnathophausia ingens
全長 *14*cm

アミ類の中でオオベニアミはロフォガスター目オオ
ベニアミ科に属します。アミは小さいものが多い
のですが大きさは同類では最大級、なんと全長35
cmに達する個体もいます。エサはクラゲやマリン
スノー、幼体は前後に長い棘が伸びていて別掲の
トゲベニオオアミ（*Gnathophausia zoea*・P229）
が同属です。*G.ingens* を検索すると多くの情報
がヒットしますがこれはシノニム（同種異名）で
Neognathophausia ingens の方がどうやら"本名"
のようです。4,000mの深さからも知られています。

【ロフォガスター目・アンフィオニデス目】
オオベニアミ科、
アンフィオニデス科

海の甲殻類というとエビ、カニです。これ以外はなかなか思いつ
きませんが実に多様な種類がいます。オオベニアミは一見エビに
似ていますが軟甲綱フクロエビ上目というグループに属すアミの
仲間です。アミってなんだ、ですがエビともオキアミとも違いま
す。エビ類はホンエビ上目十脚目、オキアミ類はホンエビ上目オ
キアミ目に属します。胸肢（きょうし）の先がはさみ状にならな
いのがエビ類との違い、またエビ類は十脚目と呼ばれるように5
対10本の脚が生えていますがアミ類は7対14本です。オキア
ミ類との違いはエラが外に出ていないことです。大きさも小ぶり
で普通は5mmから30mmくらい、メスはお腹に育房（いくぼう）が
発達しています。ついでに言えばフクロエビ上目のアミ目は尾肢
（びし）に一対の平衡胞（へいこうほう）と呼ばれる器官を持っ
ていて、同じフクロエビ上目のロフォガスター目にはこれがあり
ません。

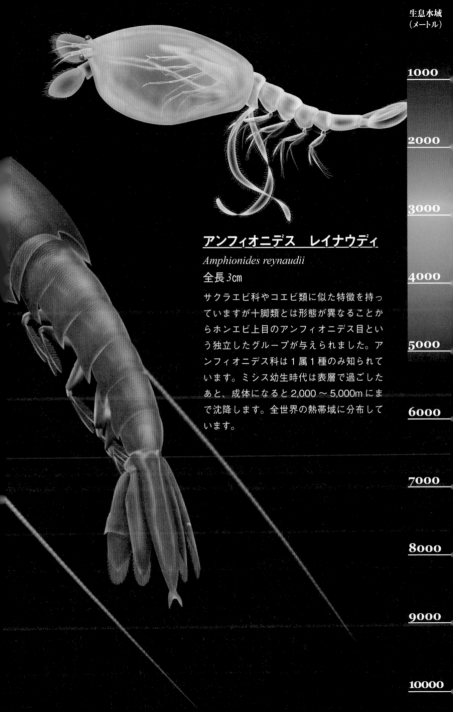

生息水域
（メートル）

1000

2000

3000

アンフィオニデス　レイナウディ

Amphionides reynaudii

全長 3cm

サクラエビ科やコエビ類に似た特徴を持っていますが十脚類とは形態が異なることからホンエビ上目のアンフィオニデス目という独立したグループが与えられました。アンフィオニデス科は 1 属 1 種のみ知られています。ミシス幼生時代は表層で過ごしたあと、成体になると 2,000 〜 5,000m にまで沈降します。全世界の熱帯域に分布しています。

4000

5000

6000

7000

8000

9000

10000

オニナナフシ

Arcturus crassispinis

5cm

日本海からオホーツク海、ベーリング海にかけて冷たい海域の300m付近に棲息しています。

アルクツルス　バッフィニ

Arcturus baffini

7cm

北極海に棲息しています。

ヤリボヘラムシ

Symmius caudatus

1.3cm

浅場から300m以深の泥の中にいます。この仲間の棲息場所は色々で浅いところにいる種類は潮間帯の石の下や海藻に付着していて、表層にいるナガレモヘラムシ（*Idotea metallica*）はその名の通り流れ藻に乗って旅します。

ニホンコツブムシ

Cymodoce japonica

3cm

ニホンコツブムシは何種類かを総称するウミセミの仲間です。深海では沈木にしばしば群れて生活しています。ダンゴムシみたいに丸くボール状になることができ、泳ぎも達者です。オスは腹尾節（ふくびせつ）という尾っぽの部分を振り上げてギッギッと発音することが分かっています。威嚇や異性へのアピールだと考えられます。

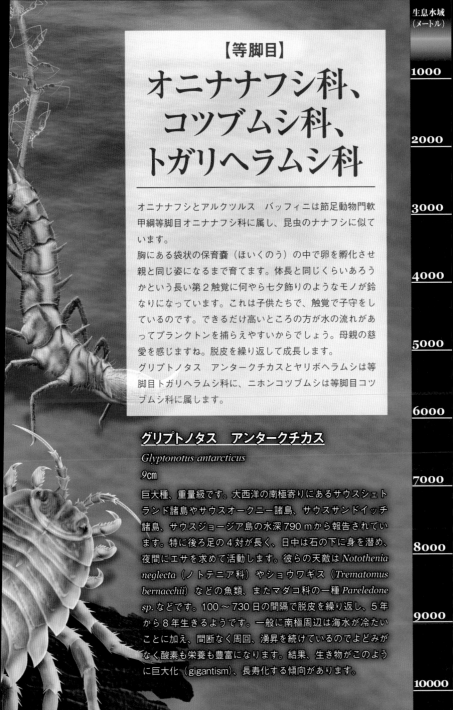

生息水域
（メートル）

1000

2000

3000

4000

5000

6000

7000

8000

9000

10000

【等脚目】

オニナナフシ科、コツブムシ科、トガリヘラムシ科

オニナナフシとアルクツルス　バッフィニは節足動物門軟甲綱等脚目オニナナフシ科に属し、昆虫のナナフシに似ています。

胸にある袋状の保育嚢（ほいくのう）の中で卵を孵化させ親と同じ姿になるまで育てます。体長と同じくらいあろうかという長い第２触覚に何やら七夕飾りのようなモノが鈴なりになっています。これは子供たちで、触覚で子守をしているのです。できるだけ高いところの方が水の流れがあってプランクトンを捕らえやすいからでしょう。母親の慈愛を感じますね。脱皮を繰り返して成長します。

グリプトノタス　アンタークチカスとヤリボヘラムシは等脚目トガリヘラムシ科に、ニホンコツブムシは等脚目コツブムシ科に属します。

グリプトノタス　アンタークチカス

Glyptonotus antarcticus
9cm

巨大種、重量級です。大西洋の南極寄りにあるサウスシェットランド諸島やサウスオークニー諸島、サウスサンドイッチ諸島、サウスジョージア島の水深790ｍから報告されています。特に後ろ足の４対が長く、日中は石の下に身を潜め、夜間にエサを求めて活動します。彼らの天敵は *Notothenia neglecta*（ノトテニア科）やショウワギス（*Trematomus bernacchii*）などの魚類、またマダコ科の一種 *Pareledone sp.* などです。100 〜 730 日の間隔で脱皮を繰り返し、5 年から 8 年生きるようです。一般に南極周辺は海水が冷たいことに加え、間断なく周回、湧昇を続けているのでよどみがなく酸素も栄養も豊富になります。結果、生き物がこのように巨大化（gigantism）、長寿化する傾向があります。

【等脚目・端脚目】
セロリス科、
ウミクワガタ科、
ワレカラ科

上の2匹は等脚目セロリス科に属すセロリスの仲間で、あまり知られていませんが南半球に多く棲息していて23の属に120種以上が報告されています。大きさも数ミリから、ここに紹介した南極周辺から得られた Ceratoserolis 属のように5cmを超えるものもいます。両者は尾部の棘状突起の長さで区別できます。

ウミクワガタの仲間は浅海から深海、赤道付近から両極まで幅広く棲息している甲殻類で端脚目ウミクワガタ科に属します。

最後は端脚目ワレカラ科に属すワレカラの1種です。

シンカイウミクワガタ

Bathygnathia affinis

全長 *1.5*cm

bathygnathia 属に属し比較的大型になります。属名の gnathia は「顎」のこと。足は5対ある点が昆虫と異なります。幼生は魚類に寄生して体液を吸い、離脱、着底、脱皮を繰り返します。体液を吸う前はズフェア（zuphea）幼生、吸った後はプラニザ（praniza）幼生と呼び方が変わり3回寄生と脱皮を繰り返して成体になります。成体はエサを一切口にしません。寄生する期間は一般的に硬骨魚類で数10分から1日、軟骨魚類では数日以上といわれています。1,600mを超える深さからも得られています。

ケラトセロリス　メリディオナリス

Ceratoserolis meridionalis

全長 6.7cm

ケラトセロリス　トリロビトイデス

Ceratoserolis trilobitoides

全長 5.5cm

その姿から種小名は「三葉虫に似たもの」と付いています。が、もちろん三葉虫とは似て非なるものです。

カプレラ　ウングリナ

Caprella ungulina

全長 3cm

体節は7つ。1番前の節は頭部とつながっていて長短2対の触覚を有します。また口の両脇に第1咬脚（こうきゃく）が1対あって触覚に付いたプランクトンをしごき取ったり、これで海藻にしがみついたりします。2番目の節にはひと回り大きな第2咬脚がありこれは戦う武器となります。そして3番目4番目の節には左右1本ずつ棍棒のようなエラが付いています。水流を起こす仕組みはないので流れのある場所を選ぶか、あるいは自ら体を前後にゆらゆら揺らせてエラに流れを送っています。脚は後ろの方に3対備わっています。この種はエゾイバラガニ（*Paralomis multispina*・P241）の甲羅に乗っているところが観察されています。

生息水域
（メートル）

1000

2000

3000

4000

5000

6000

7000

8000

9000

10000

【等脚目・クーマ目】
セロリス科、ナンノクーマ科、クーマ科

大きな分類では軟甲綱というグループに属します。
このグループはコノハエビ亜綱、トゲエビ亜綱（シャコなど）、真軟甲亜綱（エビ、カニなど）の3種に大別されます。
ここに紹介した3種は真軟甲亜綱に属します。
アトラントセロリス　ヴェマエはセロリス科、あとの2種はクーマ目クーマ科とナンノクーマ科です。
クーマ目は昼間は海底で懸濁物を食べ、夜間に泳ぎだします。クーマ科は自在に動く尾節があるのに対し、ナンノクーマ科は尾節を欠いているという違いがあります。

アトラントセロリス　ヴェマエ

Atlantoserolis vemae

0.6cm

等脚目セロリス科で数多くが知られていますが最も深いところに棲息する種で、ホロタイプは大西洋の4,588～5,024mから得られています。セロリスの仲間は極端に扁平な卵型をしているのが特徴で、昔初めて世の眼に触れた時は化石の三葉虫との類縁性を指摘した研究者もいました。確かによく似ていますがもちろん別モノです。さらになぜか南半球に多く分布しているのですがこのアトラントセロリス　ヴェマエという種はバーミューダ諸島付近からも得られています。目はありません。数mm程度の目立たない生き物で海底のデトリタスを食しています。

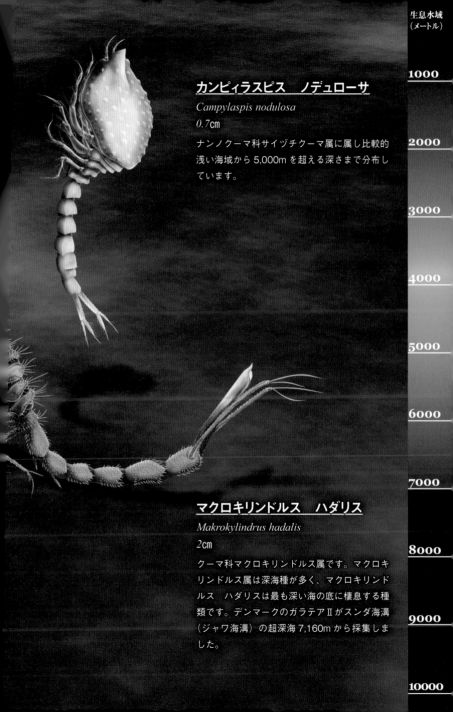

1000

カンピィラスピス　ノデュローサ

Campylaspis nodulosa

0.7cm

ナンノクーマ科サイヅチクーマ属に属し比較的
浅い海域から 5,000m を超える深さまで分布し
ています。

2000

3000

4000

5000

6000

7000

マクロキリンドルス　ハダリス

Makrokylindrus hadalis

2cm

クーマ科マクロキリンドルス属です。マクロキ
リンドルス属は深海種が多く、マクロキリンド
ルス　ハダリスは最も深い海の底に棲息する種
類です。デンマークのガラテアⅡがスンダ海溝
（ジャワ海溝）の超深海 7,160m から採集しま
した。

8000

9000

10000

【等脚目】
スナホリムシ科

近年、水族館でも飼育されるようになったので深海生物の中ではメジャーな存在になりました。

ダイオウグソクムシは1万種といわれる等脚目の頂点に君臨する最大のダンゴムシで体長は50cm近くになります。典型的な巨大化傾向（gigantism）を示しています。

複眼の大きさに限ると甲殻類最大です。複眼は微弱な光に対して感度が極めて高く、奥にあるタペータムという輝板（きばん）に反射して眼が輝きます。海面の光のレベルでも浴びると失明してしまうので飼育環境には細心の注意が必要です。

胸部は7対、腹部は6対の甲羅から成り、少しくらいなら前屈させることができますが陸のダンゴムシのようには丸まれません。7対の歩脚の後ろにヒレ状に発達した5対の遊泳肢が折り重なっていて、器用に泳ぐことができます。

古くなった甲羅殻は体の前半と後半に分割させて脱皮します。また飢餓に強く、飼育下では5年におよぶ絶食をした個体がいます。

西大西洋やインド洋の深海底310～2,140mに棲息し、スキャベンジャー（腐肉食生物）として海底の有機物（デトリタス）を食べています。スキャベンジャーといっても空き缶を処分することはできません。

さて大王にはおよびませんが体長25cmを超え、皇帝の名にふさわしいコウテイグソクムシがフィリピン以南の2,000～4,000mの海域に棲息しています。

彼らはいずれも軟甲綱等脚目スナホリムシ科に属します。グソクムシ科ではありません。

生息水域
（メートル）

1000

2000

3000

4000

5000

6000

7000

8000

9000

10000

コウテイグソクムシ
Bathynomus propinquus
25cm

ダイオウグソクムシ
Bathynomus giganteus
35cm

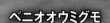

ベニオオウミグモ

Colossendeis colossea

8.5㎝

オオウミグモ科に属し、属名 Colossendeis
にも種小名 colossea にも「巨人 =colossus」
のつづりが見てとれます。1,000 ～ 3,000m
の深さで膨らんだ吻をイソギンチャクに刺
し込んで体液を吸っています。

ヤマトトックリウミグモ

Ascorhynchus japonicum

4㎝

トックリウミグモ科に属します。トックリウミ
グモ科は潮間帯で見られる仲間ですがこの種は
1,700m の深さからも知られています。和名の
トックリは膨らんだ吻の形からの命名です。

生息水域
（メートル）

1000

2000

3000

4000

5000

6000

7000

8000

9000

10000

【皆脚目】
オオウミグモ科、
トックリウミグモ科

現在地球上に棲息しているウミグモの仲間はすべて節足動物門鋏角（きょうかく）亜門ウミグモ綱皆脚（かいきゃく）目にまとめられます。

総称 Sea spider、1,000 種以上が知られていますが通常は体長数mmから1㎝程度と比較的小さな生き物です。ただ深海種はこのように数㎝から 10㎝クラスと巨大化傾向（gigantism）を示します。

ウミグモ類は胴体が3つのユニット、頭部、胴部、腹部に分かれています。頭部には鋏肢（きょうし）、触肢（しょくし）、担卵肢（たんらんし）がありますがこれらは種類によってあったりなかったり数もまちまちです。

ちなみにここに紹介したベニオオウミグモは鋏肢がなく、ヤマトトックリウミグモの鋏肢は成体では退化します。先端を胸の前に巻き込んだ細い肢が担卵肢で、オスはセメント腺という器官から粘着液を分泌してここにメスが産んだ卵塊をくっつけて保育します。そして孵化したプロトニンフォン幼生（protonymphon）は他の生物に寄生し脱皮を繰り返して成長します。幼生に備わる3対の付属肢は頭部用で長い歩行用の脚は脱皮ごとに1対ずつ増やしながら長く伸ばしていきます。

長い脚は胴部に生えていて4対ある姿が陸上のクモを思わせますが近縁でも何でもありません。そして腹部は後端に肛門があるだけです。複雑な消化器官は収まりきらないので長い脚の中に越境しています。エラや肺は持っておらず華奢な心臓では全身に酸素や血液を送り込む力がありません。

2017 年の "Current Biology" に発表された研究結果で、全身外骨格が多孔質になっていて微小な孔を通る海水から酸素を取り込みながら、脚の先まで伸びた腸の収縮で酸素を巡らせていることが分かりました。

コペポーダ、ウミホタル科

ワルディヴィエラ　インシグニス、ガウシア　プリンケプス、オンマトコイタ　エロンガータはカイアシの仲間、コペポーダ（copepoda）です。コペポーダは1万種以上が知られ、「海の米」とも呼ばれるほどバイオマスの多い重要な動物プランクトンになっています。節足動物門甲殻亜門多甲殻上綱（たこうかくじょうこう）カラヌス目に分類され研究者には「コペ」と慕われています。孵化した後はノープリウス幼生とコペポダイト幼体の時代を経ます。

ギガントキプリス　アガッシイはウミホタルの仲間で貧甲殻上綱貝虫亜綱ミオドコピダ（ウミホタル）目ウミホタル科に属します。

ギガントキプリス　アガッシイ
Gigantocypris agassizii
2.5cm

卓球の球ほどもある大きさは例外的に巨大です。視力に優れていて、最も集光能力のある生物として「ギネス世界記録2007」に記載されました。それによるとFナンバー（レンズの明るさ）に換算して0.25。人間（2.25）、カメラ（1.8）と比べ僅かな光を敏感に感じ取ることができます。エサとして食べているのはカイアシ類やヤムシ類、小魚など運動能力の高い生き物ばかり。自らも俊敏に移動できると考えられます。南極海の上部漸深層800〜1,500mに棲息しています。

ワルディヴィエラ　インシグニス
Valdiviella insignis
1.2cm

ガウシア　プリンケプス

Gaussia princeps

*1*cm

必殺技は時間差爆弾。危険を察知すると発
光液を噴射します。この発光液は遅れて爆
発するので敵が突然の閃光に気を取られて
いる間にすばやく移動、雲隠れするのです。
忍者さながらです。

1000

2000

3000

4000

5000

6000

オンマトコイタ　エロンガータ

Ommatokoita elongata

*3*cm

7000

寄生性のカイアシです。ほとんどのオンデンザメ科の角膜には
これがぶら下がっています。メスは第2小顎（しょうがく）の
先端を宿主であるオンデンザメ類の目玉に打ち込んで寄生生活
を始めます。オスは矮雄（わいゆう）でこちらはメスの体に付
着しています。オスは「寄生」ではなくあくまでも「付着」で
す。オンデンザメ類は個体によっては400年以上を生きる長寿
鮫なので長い人生の間に運悪く寄生の対象になってしまうこと
もあるのでしょう。結果、寄生されたオンデンザメの眼はほと
んど見えていません。

8000

9000

10000

【多毛類】
エラゴカイ科、シボグリヌム科、ウロコムシ科

熱水噴出域に棲むゴカイの仲間です。高圧で 400℃近くにもなる海水が急激に冷やされることで溶け込んでいた鉱物成分が固体になります。これがチムニーと呼ばれる煙突状の構造物です。しかし熱水噴出孔付近に棲息する生物はそこに棲息する化学合成細菌が分解する有機物が目当てなので必ずしも高温である必要はありません。むしろ高温は自らの生命を脅かすリスク源になっています。

ゴカイの仲間は自ら移動することができないので熱水噴出が停止したら運命を共にすることになります。放出された卵や幼生が次の熱水噴出孔にたどり着けるかどうかはかなり確率の低い旅ではないでしょうか。

ポンペイワーム
Alvinella pompejana
13㎝

多毛綱フサゴカイ目エラゴカイ科。ポンペイワームは正真正銘、高温環境下でも生きられる特殊な体を持った種類です。コロニーを形成し身を納める棲管の奥側は 80℃にもなることがあります。ポンペイは西暦 79 年に噴火したイタリアのベスビオ火山の降灰によって埋もれた都市の名前です。

生息水域
（メートル）

1000

2000

3000

4000

5000

6000

7000

8000

9000

10000

ガラパゴスハオリムシ

Riftia pachyptila

300㎝

ケヤリムシ目シボグリヌム科。口も消化管も肛門も持たない常識を疑う生物として、見つかった時は驚きのニュースになりました。棲管に覆われた本体（トロフォソーム）に硫黄酸化バクテリアを共生、エラから取り込んだ海水中の硫黄を分解してできた有機物を栄養にしています。全く光合成由来のモノに関わっていないのです。なので特殊なヘモグロビンのおかげで猛毒物質にも平気でいられます。棲管入口付近の本体にハオリ（羽織）が1対あってこれで管の内側に突っ張っています。

フィジーフタオウロコムシ

Branchinotogluma segonzaci

3.6㎝

サシバゴカイ目ウロコムシ科の仲間で10対のウロコを持っています。ウロコムシは英名もScaleworm。種類によっては刺激を受けるとウロコをハラハラと落としてしまうこともあります。これがトカゲの尻尾の自切と同じ理由なのかどうかは不明です。

マリアナイトエラゴカイ

Paralvinella hessleri

3㎝

多毛綱フサゴカイ目エラゴカイ科。マリアナイトエラゴカイも80℃以上の温度でも生きられます。棲管はチムニーの壁面が20℃以上になる場所に作り、バクテリアは体の表面に共生させています。

ウキナガムシ科、
クマノアシツキ科

陸上で見かける環形動物というと、ゴカイをはじめミミズやヒルなどが代表的です。一方、深海層にはオヨギゴカイ（*Tomopteris helgolandica*、サシバゴカイ目）のような遊泳性ゴカイの仲間がいてこちらはかなり活動的です。

ここに登場する種類は多毛綱フサゴカイ目に属し、それぞれネーミングがなかなかユニークです。グリーンボンバー（green bomber）とシャイニングボンバー（shining bomber）はモントレー湾沖、北東太平洋の3,000mを超える深さから見つかっており、首の辺りに装備している1mmくらいの緑色した球を投下することからボンバー（爆撃機）と呼ばれています。敵に襲われた時にこれを放ち、1秒間ほど光らせている間に逃げます。爆発はしないので閃光弾ですね。属名のswimaは想像の通り「泳ぐ」からです。

グリーンボンバー、シャイニングボンバー、イカムシはクマノアシツキ科（Acrocirridae）に属します。ウキナガムシはウキナガムシ科に属します。

ウキナガムシ

Poeobius meseres

2.7cm

体節は不明瞭で、両側に剛毛も並んでいません。動きはおとなしく頭部にある多数の触手でマリンスノーなどの有機物を集めて食べています。1,800m付近を漂っています。

シャイニングボンバー

Swima fulgida

3cm

暗色に着色した前腸（anterior gut）を持つことがグリーンボンバーと異なります。swima属はこのほかタウイタウイボンバー（tawi-tawi bomber）と呼ばれる*S.tawitawiensis*がフィリピン沖セレベス海2,836mから知られています。両側の剛毛をパドルのように動かして泳ぎます。

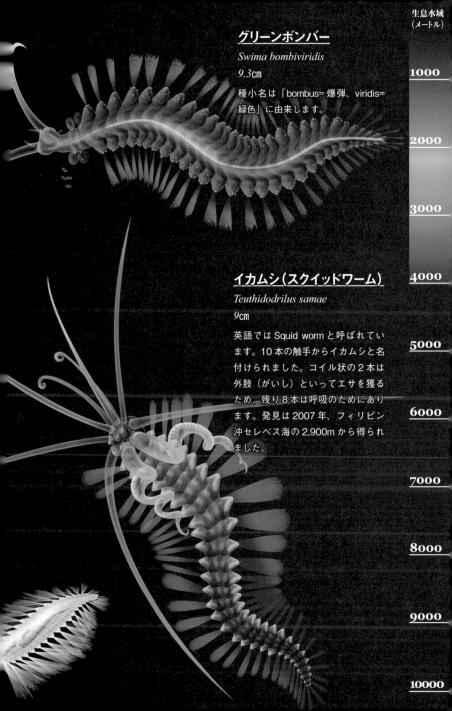

グリーンボンバー

Swima bombiviridis

9.3cm

種小名は「bombus=爆弾、viridis=緑色」に由来します。

イカムシ（スクイッドワーム）

Teuthidodrilus samae

9cm

英語では Squid worm と呼ばれています。10本の触手からイカムシと名付けられました。コイル状の2本は外肢（がいし）といってエサを獲るため、残り8本は呼吸のためにあります。発見は2007年、フィリピン沖セレベス海の2,900mから得られました。

生息水域（メートル）

1000

2000

3000

4000

5000

6000

7000

8000

9000

10000

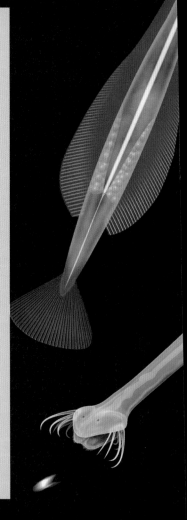

【矢虫綱】
クローンヤムシ科、
ヤムシ科

ヤムシは毛顎動物門現生矢虫綱に属し、矢虫と書くように細長い体形でしゅっしゅっと活発に泳いでいます。ラテン語で矢を意味するサジッタ（sagitta）とも呼ばれます。

海の中ではカイアシ類に次いで数の多い肉食型プランクトンです。頭部、胴体部、尾部の３つのパーツから成っていて頭部の左右には獲物を捕らえるためのキチン質でできた鋭い牙（顎毛＝がくもう）があります。胴体の後方には卵巣があり、尾部には精巣があります。つまり雌雄同体なのです。しかし１匹で子作りするわけではなく２匹が交尾して子孫を残します。多くは産卵後に死亡します。

体全体に生えた繊毛（せんもう）が振動を感知してエサ生物の接近を察知します。頭部に眼点（がんてん）が１対認められますが光の方向を識別できる程度です。動きは敏捷で、噛みついた時に毒液を注射する器官を口の周りに持っています。種類によってはテトロドドキシン毒を持つヤムシもいるようです。

ここに紹介したクローンヤムシ科（Eukrohniidae）とヤムシ科（Sagittidae）の違いはヒレの数です。前者は胴体前部から尾部にかけて長いヒレが１対、後者は前と後ろにそれぞれ１対ずつあります。

クローンヤムシ

Eukrohnia hamata

4.3㎝

周年産卵します。産卵数は10個程度で浅い海域のヤムシの1/10程度と少産型です。逆に卵の大きさは10倍ほどあり、受精後は卵を放出せず卵管出口の寒天質状の袋に一旦納めます。3㎜程度になったら初めて孵化します。太平洋やオホーツク海には分布していますが日本海にはいません。これは日本海につながる海峡が浅いため深みに棲息するクローンヤムシが入ってこられないためと考えられています。

キタヤムシ

Sagitta elegans

4㎝

北方系で北太平洋、北大西洋、北極海で見られ南半球にはいません。日本海では3,000mの深さから知られます。高水温ほど成長、成熟が早く寿命は短い傾向にあります。北極圏では寿命は2年くらい、対し大西洋分布の南限では3～7ヵ月と短命です。ヤムシの食性はカイアシなどのプランクトンや稚魚ですが別のヤムシに襲われることもあります。そして自らは他の生物のエサになっています。このキタヤムシがキタユウレイクラゲ（*Cyanea capillata*）の幼体に捕らえられたところが観察されています。

生息水域
（メートル）

1000

2000

3000

4000

5000

6000

7000

8000

9000

10000

ワレカラ科、
ハイカブリニナ科

ワレカラの仲間と、巻貝であるハイカブリニナ科の仲間です。

ワレカラは古くから知られていて、万葉集（奈良時代）や伊勢物語（平安時代）、古今和歌集（平安時代）、枕草子（平安時代）などに既に登場しています。浅いところにいるワレカラの仲間は数mm〜5cm程度、海藻を採るといっぱい付着していることがあります。これを乾燥させると割れてしまうことから割殻（われから）と呼ばれています。そのくらい身近な生き物で、普段は精進料理を食べて、「俺は肉類は口にせん！」と豪語する上人（しょうにん）様でも知らない間に海藻と一緒にワレカラを口にしていることを揶揄して「ワレカラ食わぬ上人なし」ということわざもあるくらいです。

ハイカブリニナ科はヒモマキハイカブリニナの他にアルビンガイ属、ヨモツヘグイニナ属とセイタカハイカブリニナ属の3属が知られています。これら3属はマリアナトラフや南太平洋、インド洋の熱水噴出域に固有です。

アビソドデカス　スティクス

Abyssododecas styx

全長 3.3cm

超深海に棲息する端脚目ワレカラの仲間です。ワレカラの英名は Skeleton shrimp。骸骨エビですね。アビソドデカス　スティクスは日本海溝の冷水湧出域 5,300m の深さで観察されています。深いところでは 7,000m を超える深さにも棲息しているようです。

移動する時は尺取虫のように細長い胴体を曲げたり伸ばしたりしながら器用に進んでいる動画が公開されました。観察されたのは 2000 年のことですが学名が正式に記載されたのは 2016 年になってのことです。

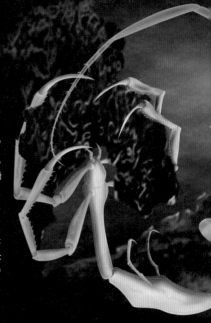

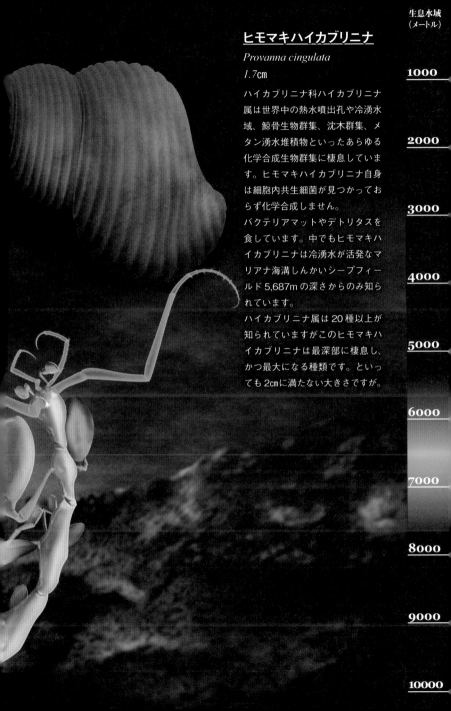

生息水域
（メートル）

ヒモマキハイカブリニナ

Provanna cingulata

*1.7*cm

ハイカブリニナ科ハイカブリニナ
属は世界中の熱水噴出孔や冷湧水
域、鯨骨生物群集、沈木群集、メ
タン湧水堆積物といったあらゆる
化学合成生物群集に棲息していま
す。ヒモマキハイカブリニナ自身
は細胞内共生細菌が見つかってお
らず化学合成しません。

バクテリアマットやデトリタスを
食しています。中でもヒモマキハ
イカブリニナは冷湧水が活発なマ
リアナ海溝しんかいシープフィー
ルド 5,687m の深さからのみ知ら
れています。

ハイカブリニナ属は 20 種以上が
知られていますがこのヒモマキハ
イカブリニナは最深部に棲息し、
かつ最大になる種類です。といっ
ても 2cmに満たない大きさですが。

1000

2000

3000

4000

5000

6000

7000

8000

9000

10000

テラマチオキナエビス
Bayerotrochus africanus teramachii
7cm

殻は薄く殻（螺層＝らそう）は直線的
ではなくよく膨れています。色は濃淡
のある濃いオレンジ色。オキナエビス
類の中では比較的流通しています。

ミダースオキナエビス
Perotrochus（Bayerotrochus）midas
9cm

テラマチオキナエビスに似ていますが先
端がペシャンとつぶれています。殻はク
リーム色の淡い火炎模様に彩られます。
フロリダ沖から得られています。種小名
のミダス（Midas）はギリシャ神話でアポ
ロンに頼んで、手に触れたものがすべて
金に変わる能力を得た王からの命名です。

コシダカオキナエビス
Mikadotrochus salmiana
12cm

殻は薄く表面の顆粒はレンガ状、
スリットも短く側面の斜面は直線
的、他と比べて細長い形であるこ
とから「腰高」と付いています。

オキナエビス
Mikadotrochus beyrichii
10cm

底面はやや平坦でスリットは短め、
学名の mikado は「帝」のことです。

1000

リュウグウオキナエビス

Entemnotrochus rumphii

20cm

オキナエビスガイ類の中では最大種で殻径（かくけい）は15cmに達します。スリットは深く細く切られています。英名は Rumphius' slit shell。1968年、台湾で見つかった種は1万ドル（当時の相場で360万円）で取引され、ギネスに世界で1番高価な貝として認定されましたが現在は落ち着いてきています。カイメンを食べ、驚かすと乳白色の液体を分泌します。

2000

3000

4000

アケボノオキナエビス

Bayerotrochus diluculum

11cm

外見では殻は薄くスリットは浅めです。火炎模様はありません。全体的に若干つぶされたような形をしています。

5000

6000

【古腹足目】
オキナエビスガイ科

7000

漢字では翁夷、翁蛭子、翁恵比寿と書きます。江戸時代の図鑑「目八譜（もくはちふ）」には通称、翁蛭子という名の西王母（せいおうぼ）の記述があります。西王母というのは中国の神話に登場する神（仙女）のことで、30年に一度開花して実る桃を漢の武帝に与えたとされています。めったに手に入らないもの、長寿の例えとされたことからオキナエビスを桃の実になぞらえて命名したのでしょう。長者貝とも呼ばれ縁起がよく収集家も多くいます。種類によって価値はまちまちで、当然なかなか得られないアケボノオキナエビスなどは非常に稀少です。オキナエビスの仲間は殻のスソに肛門を出すためのスリットがあり、これが巻貝の先祖である証拠となることから生きた化石といわれています。

8000

9000

10000

セイエビスガイ

Calliostoma sayanum

3.9㎝

海綿やホヤを食べます。顆粒が並んだ螺肋（らろく）が各層に8〜10本、殻底（かくてい）に約15本あります。巻きは8層で棲息地はノースカロライナからフロリダ付近にかけて知られています。

アコヤエビス

Calliostoma（Akoya）akoya

2.5㎝

アコヤエビスの殻も真珠の光沢を放つ特徴はギンエビスと同じ。細い螺肋（らろく）があります。

オホーツクエビス

Otukaia rossica

2.3㎝

北海道からサハリン、オホーツク海にかけて棲息しています。キヘイジエビス（*Otukaia kiheiziebisu*）と同じ属です。

チュウタカラシタダミ

Gaza fischeri

3㎝

チュウタカラシタダミの殻は薄く、やはり殻皮を取り除くと鮮やかな淡い緑〜金色〜ピンクにいたる真珠光沢色をしています。殻の表面は滑らかによく膨れていて6巻き半、渦を巻いています。フロリダ州から西インド諸島にかけて、200ｍから1,000ｍを超える深さから得られています。タカラシタダミ属（*Gaza*）はすべて深海産です。

生息水域
（メートル）

1000

2000

3000

4000

5000

6000

7000

8000

9000

10000

ギンエビス

Ginebis argenteonitens

4cm

生貝は褐色の薄い殻皮で覆われていますが、一旦殻皮を取り除くと銀白色で見事な真珠光沢の色をしています。属名にも日本語のまま Gin（銀）の ebis（恵比寿）と付けられています。肩の部分の結節（けっせつ）と呼ばれるイボイボがある種類とない種類がいます。殻の1番太い部分だけに結節があるのがギンエビス、殻頂（かくちょう）まである型をヒラセギンエビス（*G.argenteonitens hirasei*）、全くない型をフクレギンエビス（*G.argenteonitens convexiuscula*）といって区別されています。日本の太平洋側から知られ、ヒラセギンエビスは北の方の100m前後によく見られ、フクレギンエビスは南の方の200～400m付近とやや深めに分布しています。

【古腹足目】
ニシキウズガイ科

多くの貝は表面を殻皮（かくひ）または外套膜で覆っているので海底の背景に紛れ込んでしまいます。天敵から見つかりにくくすると同時に大事な殻が傷つかないよう守っているのです。自然界の姿ではその貝の特徴である表面の色や模様、凹凸、殻の巻き方などの特徴が分からないのでイラストはほとんど殻皮を取り除いてあります。すると個性的で美しい殻の表面が現れます。

サラサベッコウタマガイ

Onchidiopsis nihonkaiensis

11㎝

こう見えても巻貝の仲間で腹足綱に属します。盤足目
ハナヅトガイ科に属し、発見されたのは比較的最近の
1993年です。富山湾と佐渡島、あと2015年には北海
道八雲町の日本海側でも400mの深さから採取されま
した。巻貝といっても貝殻は体内にあるので外からは
見えません。貝殻の形はアワビのようで薄くソフトコ
ンタクトレンズのように透明な柔らかい触感です。大
きさ的にも指サックの先端だけを切り取った感じです。
ほとんどを占める軟体部は外套膜で外見はまさに更紗
模様の水まんじゅうです。

ワダツミボラ

Afrivoluta pringlei

12.5㎝

南アフリカ固有種です。殻は軽く壊れやすい作り
になっています。かつてはガクフボラ類の1種に
分類されていました。イラストでは見えませんが
軸唇（じくしん）にある4本のオレンジのヒダが
何ともおしゃれです。吸腔目ヘリトリガイ科に属
し70～500m辺りまで棲息しています。

生息水域
（メートル）

1000

2000

3000

4000

5000

6000

7000

8000

9000

10000

【盤足目、吸腔目】

ハナヅトガイ科、
ヘリトリガイ科、
ミミズガイ科

トゲコケミミズガイとテナゴダス　モデスタスは、最初は殻を巻こうと努力する
のですが、途中で諦めて自由奔放で伸び伸びした人生の方を選択しました。普段
は海綿の中に埋在しているのでなかなか気がつきません。ただ完全に埋もれて
しまうわけではなく殻口（かくこう）を外に伸ばして水を取り込み、濾過すること
で栄養を得ています。薄くもろい殻で丸い蓋を持っています。

トゲコケミミズガイ
Tenagodus squamatus
15cm

盤足目ミミズガイ科。英名は Slit worm snail。サイド
にオレンジの薄茶色に縁どられた長い一本のスリット
が入っています。殻本体はオフホワイト色、ノースカ
ロライナからブラジルにかけて浅い場所から 700m を
超える深さに棲息しています。

テナゴダス　モデスタス
Tenagodus modestus
15cm

盤足目ミミズガイ科。横のスリット
が連続していなくて卵形の小孔が破
線状に走っています。1,472m から
の記録があります。

アケビガイ

Calyptogena kawamurai

13㎝

シロウリガイの仲間の中では浅めの 300 ～ 900m の深さに棲息しています。エンセイシロウリガイ（*Calyptogena solidissima*）はこれと同種です。

オウナガイ

Conchocele bisecta

10㎝

オウナ（媼）はお婆さんのこと、殻表面の脇にある大きな溝がシワを連想するのと蝶番の部分に凹凸（歯）がないことがその由来です。

シロウリガイ

Calyptogena soyoae

14㎝

750 ～ 1,300m 付近に棲息し白い瓜の外見からそう呼ばれています。消化管は退化し肥大したエラに化学合成細菌を共生させて細菌が作る有機物をエサにしています。細菌のエサは地殻からにじみ出るメタン水が海水中の硫酸イオンと反応してできた硫化水素です。これが堆積物の中に豊富なので吸収するために貝殻を直立させ半分以上を埋もれさせた状態で足を伸ばしています。この姿勢でずるずると移動もできます。真っ赤な血液を持っていて開くとツンと硫化水素のにおいがします。ヘモグロビンは酸素と結びつき、硫化水素の方は特殊なタンパク質に結合させることで生存できています。

生息水域
(メートル)

1000

2000

3000

4000

5000

6000

7000

8000

9000

10000

ヘイトウシンカイヒバリガイ

Bathymodiolus platifrons
10cm

湧水域のほか熱水噴出域にも生息して
います。エラに硫化水素やメタンを利
用するバクテリアを共生させているだ
けでなく、多くの二枚貝同様に水中の
微粒子を食べる濾過食（ろかしょく）
もできます。足糸（そくし）で体を固
定します。種小名、和名ともに殻頂
（かくちょう）が前縁（ぜんえん）と
同じレベルで平らなことから「平頭」
と付いています。

ツブナリシャジク

Phymorhynchus buccinoides
5cm

ヘイトウシンカイヒバリガイ
の殻の表面に卵を産みつける
巻貝です。殻は白く、厚い淡
黄色の殻皮に覆われていま
す。1,000m以深から知られてい
ます。

【マルスダレガイ目・イガイ目・新腹足目】

オトヒメハマグリ科、ハナシガイ科、イガイ科、クダマキガイ科

主に湧水域に棲息する貝たちです。
シロウリガイの仲間は熱水噴出域にも見られ、色々な種類が深さで棲み分けてい
ます。
シロウリガイとアケビガイはマルスダレガイ目オトヒメハマグリ科に属します。
オウナガイはマルスダレガイ目ハナシガイ科、シロウリガイのコロニーの中に混
在します。ヘイトウシンカイヒバリガイはイガイ目イガイ科、ツブナリシャジク
はクダマキガイ科です。

シンカイヒバリガイ

Bathymodiolus japonicus

10cm

硫化水素濃度が濃い熱水噴出孔がお好みです。ダイナミックな熱水噴出孔は
組成が大きく変化するので、その瞬間瞬間、供給される化学成分に応じてエ
ラに共生させる硫黄酸化バクテリアとメタン酸化バクテリアを使い分けてい
るらしいことが分かってきました。シンカイヒバリガイ類以外でメタン酸化
細菌を共生させている生き物はほとんど知られていません。足糸（そくし）
で岩などに固着しています。

ガラパゴスシロウリガイ

Calyptogena magnifica

26cm

ガラパゴス諸島の水深2,450〜
2,750mに棲息しています。殻
は大きくて厚みがあります
がもろいです。表面は白亜色で
淡褐色の殻皮を被っています。
内面は白磁色。シロウリガイ
（*Calyptogena soyoae*・P274）と
異なり岩の上に棲息しています。

【イガイ目・新腹足目・マルスダレガイ目】

イガイ科、オトヒメハマグリ科、ハイカブリニナ科

熱水噴出域に棲息する巻貝と二枚貝です。

アルビンガイはエラに化学合成細菌を共生させていて湧き出す硫化水素を分解して宿主である貝に栄養として供給しています。この方法はヨモツヘグイニナも同様です。ちなみに同じ熱水噴出域に棲むウロコフネタマガイ（*Chrysomallon squamiferum*・P040）の場合は細菌を食道腺の細胞内に共生させています。アルビンガイとヨモツヘグイニナの2種はハイカブリニナ科に属します。

一方、シンカイヒバリガイはイガイ科に属し共生細菌は細胞の「中」にいます。ガラパゴスシロウリガイはオトヒメハマグリ科に属します。

アルビンガイ

Alviniconcha hessleri

8.5cm

口には歯舌（しぜつ）があるので普通の栄養も摂取できるようです。マリアナトラフの熱水噴出域でチムニーの表面に大量に群がっています。なおインド洋中央海嶺や南西太平洋の北フィジー海盆、ラウ海盆、マヌス海盆の熱水噴出域には別種が棲息して、共生している細菌の種類も違うようです。

ヨモツヘグイニナ

Ifremeria nautilei

9cm

深さ1,700～2,800mから知られています。漢字で書くと黄泉竈食蜷。"よもつへぐい"というのは「黄泉の国のかまど（竈）で煮炊きしたモノを食べる」という意味があります。なお"ニナ"というのは巻貝の別表現です。この貝、ほとんどが殻の先端を浸食されています。これは炭酸カルシウムが高圧低温下で溶けやすくなっているためです。子育ては足の中で幼生になるまで保護します。通常巻貝の浮遊幼生はトロコフォアと呼ばれていますがヨモツヘグイニナの場合はワレン幼生と呼ばれます。

1000

2000

3000

4000

5000

6000

7000

8000

9000

10000

腹足綱

共通項は腹足綱であること。形も大き
さも実に多様な種類がいます。腹足綱
は軟体動物門で最大の分類群です。

ウスイロタマツメタ

Euspira（Lunatia）pallida

3cm

タマガイの仲間で、ころんとした可愛らしい巻貝
です。白っぽいクリーム色の殻を持ち、英名は
Pale（淡い）moonsnail。同類を含む他の貝を襲
って歯舌（しぜつ）で殻に孔をあけ、吻を差し込
んで中身を食べてしまう獰猛性を持っています。
東北、日本海からオホーツク海、アラスカ、北
極海、ノースカロライナにかけて北方の海域に
分布し、浅い水深から4,500m付近にまで棲息
しています。名前が色々あって、資料によって
は Euspira（Lunatia あるいは Uberella とも）
pallida と表記されているかと思えば、コベソハ
イイロツメタ（Lunatia choshiensis）と Natica
groenlandica の同種異名（シノニム）とされて
いることもあります。

シンカイハズレイトカケ

Eccliseogyra nitida

0.5cm

イトカケガイ上科に所属する翼舌亜目（よくぜ
つあもく）の巻貝で Scalaria vermetiformis と
いう名のシノニムがあります。当人にやる気が
ないのか巻きは緩く、ねじれているだけです。
645〜3,300mの深さから知られています。

生息水域
（メートル）

1000

2000

3000

4000

5000

6000

7000

8000

9000

10000

ヤマトシンカイウミウシ

Bathydoris japonensis

12.5㎝

貝殻を失った貝、ウミウシの仲間です。腹足綱
裸鰓亜目（らさいあもく）シンカイウミウシ上
科シンカイウミウシ科に属します。シンカイウ
ミウシ属は本種が 2010 年に 10 種目として北
海道釧路沖の日本海溝 3,108 ～ 3,265m から
得られ記載されました。シンカイウミウシ属は
咽頭部が強大な顎板（がくばん）で保護されて
いる特徴を持っています。また左右の触覚も離
れていて縮みません。ヤマトシンカイウミウシ
は淡い紫色をしていて 12㎝を超える巨大種で
す。触覚と鰓葉（さいよう）と呼ばれる器官の
基部は黒褐色のリングで囲まれ、鰓葉は約 12
葉、6 群にまとめられ円形に配列しています。

ダフィミトラ　リンダエ

Daffymitra lindae

2.8㎝

フデヒタチオビガイ科。白い殻は薄く、緑がか
った褐色の殻皮（かくひ）で本体を保護してい
ます。南極のベリングスハウゼン深海平原 4 千
数百ｍから知られています。

ルピションカサガイ

Paralepetopsis lepichoni

1㎝

カサガイ目スケガサモドキ科に属し、南海ト
ラフの 2,140 ～ 3,571m から得られています。
細かい尖った顆粒状の放射肋（ほうしゃろく）
と後縁の膨らんだフォルムが特徴です。

ナギナタシロウリガイ
Calyptogena phaseoliformis
16㎝

種小名 phaseoliformis は「えんどう豆」、細長い形をしています。貝殻は肉厚で重く成長しています。

ナラクシロウリガイ
Calyptogena fossajaponica
3㎝

貝殻は中身が透けて見えそうなくらい薄くできています。

【二枚貝綱】

オトヒメハマグリ科、ハナシガイ科、キヌタレガイ科

湧水域に棲息する貝の仲間です。炭酸カルシウムが固体でいられる限界水深を炭酸塩補償深度（CCD）といいます。太平洋ではおよそ4,000mですが、現実はこれより深くても多くの貝が生きています。

日本海溝からは多くのシロウリガイの仲間が見つかっています。6,000mを超えた辺りにはナギナタシロウリガイのコロニーがあり、その中からナラクシロウリガイとカイレイハナシガイが発見されました。さらに深みの7,000mを超える深さからはナラクハナシガイのコロニーが発見されています。

ナラクシロウリガイとナギナタシロウリガイはどちらもオトヒメハマグリ科に属す近縁種ですが殻の出来具合が違います。

生息水域
（メートル）

1000

2000

3000

4000

5000

6000

7000

8000

9000

1000C

ナラクハナシガイ

Maorithyas hadalis

2.6cm

細胞"内"に化学合成細菌を棲まわせています。一方、浅海性のハナシガイ類は細胞"外"共生と相違があり、より原始的といわれています。

カイレイハナシガイ

Thyasira kaireiae

1cm

化学合成細菌の共生様式は細胞外と細胞内の中間的とされています。

スエヒロキヌタレガイ

Acharax johnsoni

8cm

スエヒロキヌタレガイを始めキヌタレガイ類は消化管がないので栄養のすべてを共生細菌に依存しています。スエヒロキヌタレガイは海底下に埋棲（まいせい）していて出入口は2か所あります。巣穴を樹脂で型取りしたところＹ字型になっていることが分かりました。化石で推定されていた生態が証明されたわけです。
海底に開いた2つの穴は海水の入口と出口で呼吸用として常に新鮮な海水を循環させています。一方、海底下に伸びるタテ穴は涌水由来の硫化水素を汲み上げる用途があるようです。
殻の表面は厚く黒っぽい殻皮（かくひ）に覆われていて放射状に殻の縁から飛び出しています。キヌタレガイ科に属します。

【単板綱】
ネオピリナ科

化石種としてカンブリア紀の地層からピリナ（Pilina）という単板綱が知られていて、始めはデボン紀以降には絶滅したとされていました。その現生種が1952年にコスタリカ沖の深海3,590mから発見されたことでネオ（neo=新しい）が頭に付きました。デンマークの調査船ガラテア号が発見したことからガラテアガイとも呼ばれ、種小名もgalatheaeと命名されています。

続いてユーインガイが1958年にペルー・チリ海溝5,860m付近から発見されました。太平洋、大西洋、南大洋などほぼ全海域に分布しています。こちらは属名の方に調査船ベマ号の名が付けられています。種小名ewingiは地質調査所長のユーイン氏に因んだ命名です。見た目がカサガイに似ていますがカサガイは腹足綱で貝の仲間、「連続した馬蹄形の筋肉痕を持つ」グループであるのに対し、単板綱は同じ軟体動物門でありながら「複数対の分離した筋肉質を持つ」という違いがあり全く別物です。

さらに単板綱の中で種を細かく区別するのに使われるのが排泄器官である腎管（じんかん）です。腎臓のことです。ネオピリナは6対、ユーインガイは7対あります。このほかに *Micropilina arntzi* という種類は3対、*Micropilina minuta* は4対、*Laevipilina antarctica* はネオピリナと同じ6対といった違いがあります。

体のつくりは前方向に口、後ろに肛門、真ん中に丸い足が付いています。眼と触覚はありません。エラがあってネオピリナの場合は足の左右に5対あります。主に泥質の海底に棲んでいて有孔虫や珪藻、放散虫などを食べています。雌雄異体です。

ネオピリナ
Neopilina galatheae
3.7cm

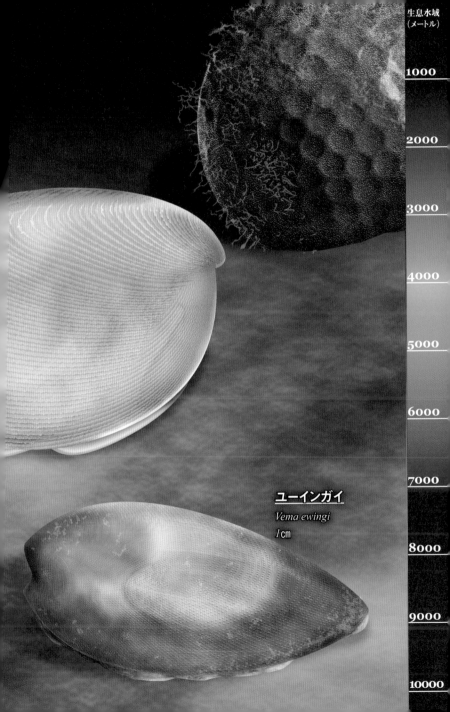

生息水域
（メートル）

1000

2000

3000

4000

5000

6000

7000

ユーインガイ

Vema ewingi

*1*cm

8000

9000

10000

アンフィプリカ　プルトニカ

Amphiplica plutonica

*1.3*cm

海草の Turtle grass（*Thalassia teseudinum*？）
上から採取されています。

ケイマンアビシア　スピナ

Caymanabyssia spina

*0.3*cm

殻は薄く黄色みを帯びた白色でその
表面を厚い殻皮（かくひ）が覆うこ
とで炭酸カルシウムの溶出を防いで
います。殻は同心円状に短い棘状突
起が生え、先端の胎殻（たいかく）
は中央より後方寄りで丸く滑らかに
なっています。口のそばの短い触手
を使って沈木表面のバクテリアフィ
ルムを食べています。

フェディコヴェラ　ケイマネンシス

Fedikovella caymanensis

*0.4*cm

薄い殻に同心円状と放射状が交差した布目状
の彫刻があたかも強度を保っているようです。

生息水域
（メートル）

1000

2000

3000

4000

5000

6000

7000

8000

9000

10000

【ワタゾコシロガサガイ目】
ケイマンアビシア科、ワタゾコシロガサガイ科

深い深い海の底、海溝に棲息する深海カサガイの仲間です。

マクレアニエラ　モスカレウィは薄い殻を持ちプエルトリコ海溝の沈木上で見つかりました。プエルトリコ海溝は斜面が急峻で周辺の島々から木や植物が流れ込んでくる環境にあります。フェディコヴェラ　ケイマネンシス、ケイマンアビシア　スピナ、アンフィプリカ　プルトニカは 6,000m を超えるケイマン海溝から得られています。マクレアニエラ　モスカレウィとフェディコヴェラ　ケイマネンシスはワタゾコシロガサガイ科に、ケイマンアビシア　スピナとアンフィプリカ　プルトニカはケイマンアビシア科に属します。

プエルトリコ海溝は南北アメリカに挟まれた西インド諸島沖にあり、大西洋では一番深い海溝です。一方のケイマン海溝も南北アメリカに挟まれていますがカリブ海にあります。よほど流出した木が集まりやすい地形なのかもしれません。

これら 4 種はそれぞれの海溝に固有のようです。カサガイ目は浅海産を中心に基本は食性が海藻（海草）なので超深海でもこうして植物由来物を見つけては生きていける逞しさを持っています。

マクレアニエラ　モスカレウィ
Macleaniella moskalevi
0.5cm

5,200 〜 8,600m から知られ最も深いところに棲む軟体動物の 1 種とされています。大きさは 3 〜 5mm と小さく、薄い殻はアーチ状で殻頂（かくちょう）が後方に曲がっています。

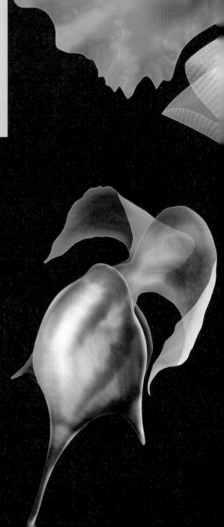

【有殼翼足目】
カメガイ科

どちらも腹足綱有殼翼足目カメガイ科、つまり浮遊性巻貝の仲間です。

貝類は一般に幼生時代を浮遊生活で過ごし成体になると海底生活に移行しますが、翼足類は文字通り翼のような足をパタパタと羽ばたかせて終生を浮遊しています。翼足は泳ぐ目的だけではなく生えている繊毛で珪藻類を集めてこれをエサとしています。

同じカメガイ亜科のクリイロカメガイ（Cavolinia uncinata）の捕食方法は変わっていて大きな粘液網をクモの巣のように分泌してエサ生物を捕獲します。

ヒラカメガイ

Diacria trispinosa

1cm

ヒラカメガイは珪藻類を食べていますが自身はカワハギ（Stephanolepis cirrhifer）やサケ（Oncorhynchus keta）、マグロ類に食べられています。浅場でも見られますが4,000mの深海にも出没します。

殼本体は軽くてもろく、背中側とお腹側の殼はあまり膨らまないレンズ型をしています。左右にある後方に向かってやや反った棘状の突起が特徴です。殼口（かくこう）はスリット状で背中側の縁はお腹側より少し出っ張り、縁付近は褐色に縁取られています。英名はSea butterfly、和名は平亀貝。

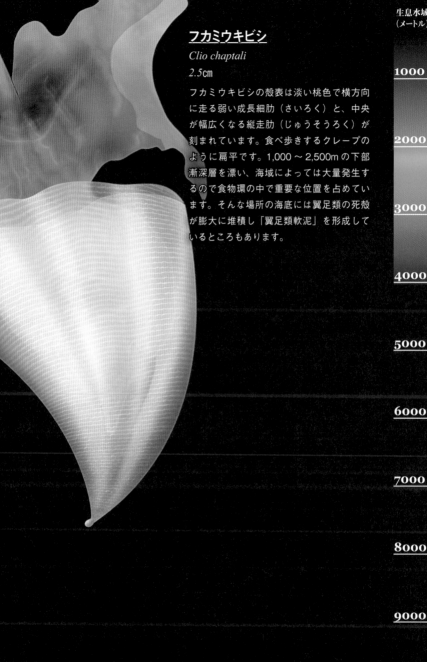

フカミウキビシ

Clio chaptali

2.5㎝

フカミウキビシの殻表は淡い桃色で横方向
に走る弱い成長細肋（さいろく）と、中央
が幅広くなる縦走肋（じゅうそうろく）が
刻まれています。食べ歩きするクレープの
ように扁平です。1,000 〜 2,500m の下部
漸深層を漂い、海域によっては大量発生す
るので食物環の中で重要な位置を占めてい
ます。そんな場所の海底には翼足類の死殻
が膨大に堆積し「翼足類軟泥」を形成して
いるところもあります。

生息水域
（メートル）

1000

2000

3000

4000

5000

6000

7000

8000

9000

10000

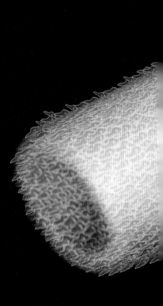

ヒカリボヤ科、
サルパ科

漂泳性のホヤの仲間です。
ちなみに私たちが普段食用にしているマボヤ
（*Halocynthia roretzi*）はホヤ綱マボヤ目です。

ヒカリボヤ

Pyrosoma atlanticum

10cm

脊索動物門（せきさくどうぶつもん）尾索動物亜門（びさく
どうぶつあもん）タリア綱ヒカリボヤ目ヒカリボヤ科に属し
ます。筒状をしていて中は空洞ですが一端はふさがっていま
す。これは8.5mm以下の小さな個虫（こちゅう）の集合体で、
外から海水を取り込んで中から外に排出することで移動しま
す。発光バクテリアを共生させているらしく刺激を受けると
青緑色に発光します。

しばしばサガミウキエビ（*Funchalia sagamiensis*）を無賃乗
車させていることがあります。日周鉛直移動をおこない極地
を除く全海洋の中深層に漂っています。雌雄同体です。

同科のナガヒカリボヤ（*Pyrostremma spinosum*）は20mも
の長さになることがあるそうです。

トガリサルパ

Salpa fusiformis

500㎝

複数の個体が連結したタリア綱の仲間です。しばしば大量発生することがあり、原子力発電所の取水口フィルターを目詰まりさせたこともあります。雌雄同体で無性世代の単独個体と有性世代の連鎖個体群を交互に繰り返しています。

1つの個体は5㎝くらいの樽型で胴回りの帯は筋肉です。これを伸縮させながら周りの海水を取り込んで移動します。先頭の個体は牽引する機関車の役目を持っていて、その後ろに摂餌や生殖をする個体が整然と秩序を持って連結しています。原理的にはいくつでも連結できますが大体は5mくらいのようです。

トガリサルパはむしろ南極などの極地で大量発生することがあります。ちなみにこれらサルパやクラゲなどのような、骨格がなくてゼラチンのように脆弱な体を持つ動物プランクトンを総称して、ゼラチナスプランクトンといいます。

生息水域
（メートル）

1000

2000

3000

4000

5000

6000

7000

8000

9000

10000

オオグチボヤ

Megalodicopia hians

13㎝

【マメボヤ目】
オオグチボヤ科

私たちが普段口にするホヤと同じ、脊索動物門（せきさくどうぶつ もん）尾索動物亜門（びさくどうぶつあもん）ホヤ綱マボヤ目に属 し、体の構造はマボヤ (*Halocynthia roretzi*) と同じです。入水孔で プランクトンを捕らえ、後頭部の出水孔から余分な水を排出しま す。しかし見た目はマボヤとは全く異なり半透明の体にワァと開け た大口が特徴です。

富山湾では群生が見つかっています。うつむき加減なのは急峻な海 底斜面の湧昇流に乗ってくる有機物を捕まえるためです。相模湾で も見つかっていて陸地で隔てられた日本海と太平洋で同一種が繁栄 している理由はよくわかっていません。

仮説として、1,900万年前ユーラシア大陸から分離した日本列島は 今の東日本と西日本に分かれており、現在の日本海は太平洋とつな がっていました。東西の陸地はやがて観音開きの移動を続け世界唯 一の構造体フォッサマグナの陸地化によって1,500万年前には閉 じてしまいました。その後はかんぬきをかけるようにガチャッと伊 豆・小笠原弧が本州にぶつかって丹沢山地（5百万年前）、伊豆半 島（100万年前）が形成されました。こうして東西が合体した日 本列島が作られ、先住者だったオオグチボヤは分断されてしまった という解釈があります。

1000

2000

3000

4000

5000

6000

7000

8000

9000

10000

ヨーダ　パプラタ

Yoda purpurata

19cm

ヨーダ　パプラタは訳すと「紫のヨーダ」。襟部から左右
に張り出した唇状の形がスターウォーズに登場するヨー
ダの耳に似ていることから名付けられました。この種は
なぜか雌雄同体で精巣と卵巣を併せ持っています。

テルギヴェラム　キンナバリナム

Tergivelum cinnabarinum

26cm

鮮やかな朱色をしています。種小名
cinnabarinum は cinnabar（辰砂＝しんしゃ）
という水銀の元になる硫化水銀を含んだ鉱
物のラテン語からきています。

アラバサス　イシディス

Allapasus isidis

13cm

白い体をしています。種小名 isidis は調査艇
ROV の艇名 Isis から付けられました。

生息水域
(メートル)

1000

2000

3000

4000

5000

6000

7000

8000

9000

10000

【半索動物門】
ギボシムシの仲間

ギボシムシの仲間が 2012 年、北大西洋アイスランドとアゾレス諸島にかけての深海 2,500m 付近で相次いで発見され、同年のジャーナル誌『Invertebrate Biology9 月号』に掲載されました。

そもそもギボシムシとは何ぞやですが、半索動物門というグループに属し、吻部と襟部と体幹部の 3 つの部分から成るミミズのような姿をした生き物です。腸鰓類（ちょうさいるい）とも呼ばれます。先端が神社や橋に見られる擬宝珠（ぎぼし）に似ていることからギボシムシ、英語ではドングリ（Acorn worm）に例えられています。

生活スタイルは口にある繊毛を使って砂を食べ、エラで海水を濾過し、後端部の肛門から砂を排出します。浅海のギボシムシは海底に潜っていますが深海種は海底を這って排せつ物が螺旋を描きます。

体全体は臭化化合物を含んだ特別な粘液に覆われているため独特のにおいがするそうです。愛想の良くない地味な生き物ですが動物の系統を探求する上で重要なポジションを占めています。脊椎動物（ヒトなど）、尾索動物（ホヤなど）、頭索動物（ナメクジウオなど）は脊索動物と呼ばれています。そして近縁に棘皮動物と半索動物がいます。これらは新口動物群と呼ばれています。

発生初期に消化管（原腸・げんちょう）を作る時、陥没した部分（原口・げんこう）が先に肛門を形成して口はあとから開くのが新口（しんこう）動物（後口動物・こうこうどうぶつ）です。その逆が旧口動物（前口動物・ぜんこうどうぶつ）といってプラナリアやミミズ、軟体動物、昆虫などがいます。こういった大きな分類の中でギボシムシは新口動物の共通祖先に最も近いと考えられています。

ちなみにギボシムシは前後に切断してもどちらからも再生する能力を持っています。雌雄異体でトルナリア幼生という時期を経るものと直接発生するものがいます。

オウサマウニ科、
カシパン科、フクロウニ科

棘皮動物門ウニ綱に属します。

ダイオウニ

Stereocidaris grandis

8cm

オウサマウニ目オウサマウニ科。棘を取り除くと王
様の王冠のように見えることが科名の由来です。普
通のウニよりはるかに太い棘が生えていて表面には
細かい縦スジがあります。さらに棘の根元は扁平な
小さい棘に囲まれています。こんな姿ですが器用に
歩きます。同じ属にボウズウニ（*S.japonica*）がい
て、この種は棘が下向きに限られていて殻のてっぺ
んは坊主頭に見えます。

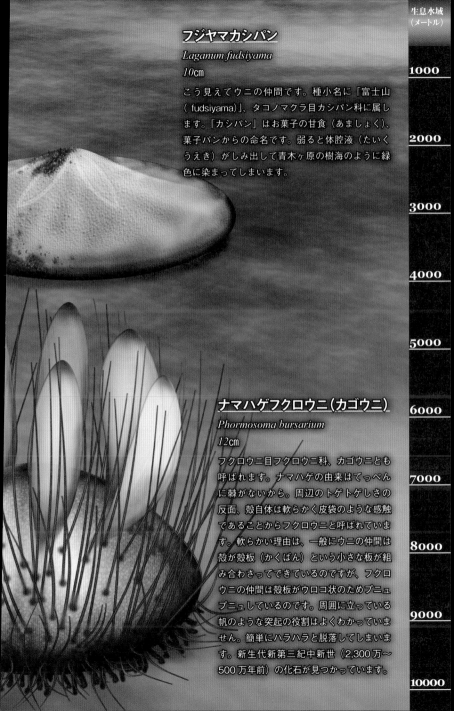

フジヤマカシパン

Laganum fudsiyama

10㎝

こう見えてウニの仲間です。種小名に「富士山（fudsiyama）」、タコノマクラ目カシパン科に属します。「カシパン」はお菓子の甘食（あましょく）、菓子パンからの命名です。弱ると体腔液（たいくうえき）がしみ出して青木ヶ原の樹海のように緑色に染まってしまいます。

1000

2000

3000

4000

5000

ナマハゲフクロウニ（カゴウニ）

Phormosoma bursarium

12㎝

フクロウニ目フクロウニ科、カゴウニとも呼ばれます。ナマハゲの由来はてっぺんに棘がないから。周辺のトゲトゲしさの反面、殻自体は軟らかく皮袋のような感触であることからフクロウニと呼ばれています。軟らかい理由は、一般にウニの仲間は殻が殻板（かくばん）という小さな板が組み合わさってできているのですが、フクロウニの仲間は殻板がウロコ状のためブニュブニュしているのです。周囲に立っている帆のような突起の役割はよくわかっていません。簡単にバラバラと脱落してしまいます。新生代新第三紀中新世（2,300万〜500万年前）の化石が見つかっています。

6000

7000

8000

9000

10000

ムーランルージュ

Proisocrinus ruberrimus

全高65cm

ゴカクウミユリ目ムーランルージュ
科に属します。ムーランルージュは
フランス語で「赤い風車」、パリモン
マルトルのキャバレーのシンボルと
なっています。

茎の上部は断面が"そばぼうろ"の
ような丸みを帯びた五角形、中間付
近から下は円形断面です。太さは5
mm程度で腕の本数は15〜20本。日
本近海では沖縄トラフの1,800m付
近の枕状溶岩上で多数目撃されてい
ます。主に西太平洋から中部太平洋
であるフィリピン、タヒチ、ハワイ
などから報告されています。

腕は再生能力が高く、観察したとこ
ろ再生中や再生済の個体が多いこと
がわかりました。安住の地を求めた
深海とはいえ天敵がいることを示唆
しています。ただ捕食者が誰なのか
はよくわかっていません。

キタアシナガヒメウミシダ

Florometra asperrima

腕長20cm

萼部（がくぶ）から5分岐を2回繰り返して10本の
腕を振り乱し活発に泳ぎます。動物だと実感するシーン
です。萼部の下に巻枝が50本以上生えていて泳がない
時はこれで岩などに固着しています。エサは腕の1本
1本にある食溝（しょくこう）を通って口まで運ばれま
す。雌雄異体の体外受精で子孫を残し孵化するとウミユ
リのビテラリア幼生に相当する時期をドリオラリア幼生
として過ごし、シスチジアン幼生、ペンタクリノイド幼
生を経て成長します。多くは熱帯に分布していますがこ
の種の分布はアリューシャン列島など冷たい海域です。
ヒメウミシダ科アシナガヒメウミシダ属に属します。

生息水域
（メートル）

1000

2000

3000

4000

5000

6000

7000

8000

9000

10000

【ゴカクウミユリ目、ウミシダ目、フクロウニ目】

ムーランルージュ科、ヒメウミシダ科、フクロウニ科

ウニの仲間とウミユリの仲間です。

エンマノフクロウニ（ハチウニ）

Hygrosoma hoplacantha

20cm

フクロウニ目フクロウニ科。袋状の柔らかい殻を持つことからフクロウニと呼ばれます。浅海種は皮袋のようにコシがありますが深海種は紙風船のようで陸上ではパンケーキのように扁平になってしまいます。棘は折れやすく種類によっては毒を仕込んでいます。イイジマフクロウニ（*Asthenosoma ijimai*）のような浅海種もいますがエンマノフクロウニは2,000mを超える深さにいる大型種です。ウニの口は普通海底に接している面の真ん中にあります。基本は五放射相称、口の部分も歯が五角形に配置されています。

【ブンブク目】
ヘイケブンブク科、ブンブクチャガマ科、オオブンブク科

タヌキが化けたおとぎ話、分福茶釜からの連想でブンブク目という分類名になったようです。ブンブク目はウニ綱の中で最も種類が多いグループです。棘皮動物なのでいずれも五放射相称の原則に従っています。

便宜的に見た目から正形類と不正形類に大別されます。

正形類は上から見ると丸く海底に接している側（口側）の中央に口、反対側（反口側）の頂上に肛門が配置されています。食用となっているエゾバフンウニ（*Strongylocentrotus intermedius*）やフクロウニ目が知られています。

一方の不正形類は前後の区別があって、下面の中央かやや前寄りに口があって後端部に肛門があります。ブンブク目の他カシパン目、タコノマクラ目などがいて多くは砂泥の中に潜っています。棘を取り除くと特徴がよく分かります。孔対（こうつい）という管足（かんそく）を出す1対の穴が5枚の花びらのように花紋（かもん）を描いていて、この形や孔の数で種類を特定できます。

キツネブンブク

Brisaster latifrons

3cm

ブンブクチャガマ科に属します。正中に深い溝があり、これに重なる正面花弁と左右の前方花弁は長くて後方花弁は短くなっています。頂上に生殖孔が3個あって浅いところに棲息するブンブクチャガマ（*Schizaster lacunosus* または *Ova lacunosus*）の2個と区別できます。これも同定する際の重要なポイントですね。動物の名を冠した種類が多いのも特徴です。タヌキやキツネ以外にネズミ、ライオン、ライオネス（雌ライオン）、ノブタ、ヤマネコ、などブンブク類はなぜか何でも例えないと気が済まないようです。

ウルトラブンブク

Linopneustes murrayi

20㎝

潜るブンブクの中でウルトラブンブクは異端児で、こちらは海底を歩き回っています。大型になる種類ですが殻は薄く壊れやすくなっています。ヘイケブンブク科に属し数100から千数100mの海底で見られます。

タヌキブンブク

Brissopsis luzonica

4㎝

オオブンブク科に属します。罪深いのか背中に十字架を背負っています。この模様は周花紋帯線（しゅうかもんたいせん）という難しい名前がついています。五放射状の花紋の内、左右の前方花弁と後ろの後方花弁は短くてほぼ同じ長さであることが特徴です。ついでにおしりには輪っかの模様がついています。

生息水域
（メートル）

1000

2000

3000

4000

5000

6000

7000

8000

9000

10000

【モミジガイ目、チヒロウミユリ目】
マンプクヒトデ科、
チヒロウミユリ科

深海のウミユリとヒトデの仲間です。

エレミカスター　パシフィカス

Eremicaster pacificus
輻長 2.5cm

モミジガイ目に属し、"カイ"と名乗っていますがれっきとしたヒトデの仲間です。この種は1,600〜6,300mの超深海にまで棲息し、モミジガイの仲間自体は浅い砂泥地にもいるポピュラーなヒトデのグループとして知られています。浅場に棲息するモミジガイ（*Astropecten scoparius*）を例にすると、輻長は6cmほどで夜行性、昼間は砂の中に潜っています。また管足（かんそく）に吸盤がないので海底表面を素早く移動したり砂の中に潜るのに適しています。捕食の際はエサ生物から出る化学物質に反応し、飲み込んだ後ゆっくり消化吸収する食事の摂り方をします。さらに通常ヒトデ類はビピンナリア幼生期とブラキオラリア幼生期という世代を経て成長しますが（間接発生型）、モミジガイ目に限っては後半のブラキオラリア幼生という時期を経過しない（直接発生型）、という特徴があります。

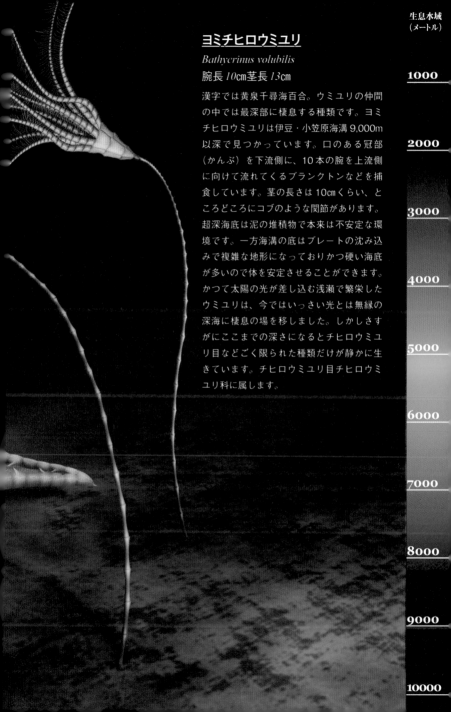

ヨミチヒロウミユリ

Bathycrinus volubilis

腕長 *10*㎝茎長 *13*㎝

漢字では黄泉千尋海百合。ウミユリの仲間
の中では最深部に棲息する種類です。ヨミ
チヒロウミユリは伊豆・小笠原海溝 9,000m
以深で見つかっています。口のある冠部
（かんぶ）を下流側に、10本の腕を上流側
に向けて流れてくるプランクトンなどを捕
食しています。茎の長さは10㎝くらい、と
ころどころにコブのような関節があります。
超深海底は泥の堆積物で本来は不安定な環
境です。一方海溝の底はプレートの沈み込
みで複雑な地形になっておりかつ硬い海底
が多いので体を安定させることができます。
かつて太陽の光が差し込む浅瀬で繁栄した
ウミユリは、今ではいっさい光とは無縁の
深海に棲息の場を移しました。しかしさす
がにここまでの深さになるとチヒロウミユ
リ目などごく限られた種類だけが静かに生
きています。チヒロウミユリ目チヒロウミ
ユリ科に属します。

生息水域
（メートル）

1000

2000

3000

4000

5000

6000

7000

8000

9000

10000

キタクシノハクモヒトデ

Ophiura sarsii

盤径3㎝

クモヒトデ目 クモヒトデ科。キタクシノハ
クモヒトデは場所によっては海底一面を覆い
つくすことがあります。うっかり海底に近づ
いたハダカイワシなどの小魚に食らいつく一
方で、イソギンチャクや貝、ヤドカリの近く
は避けているので好き嫌いがあるようです。
また危険が及ぶと自分の足を切って逃げるこ
とができます。自切（じせつ）といいます。
トカゲの尻尾と同じで足は再生します。なの
でクモヒトデ一般を英語では Brittle star（壊
れやすいヒトデ）といいます。天敵はサメガ
レイです。600万年前の化石からも密集して
いる高密度ベッドを形成していたことが分か
っています。

北極の周りの冷たい海域に棲息していて
日本は南限にあたります。ズワイガニ
（*Chionoecetes opilio*）の分布と重複する
200～500ｍ付近でよく見られます。イラ
ストでは群れが互いに重なっていますが、実
際の映像を見るとそれぞれが付かず離れず微
妙な距離感を保って分布しています。

リュウコツクモヒトデ

Ophiochiton fastigatus

盤径1.1㎝

クモヒトデ目リュウコツクモヒトデ科。海底
の穴から腕だけ出して獲物を捕食する待ち伏
せ型のハンターです。漢字では竜骨蜘蛛海
星、何だかすごそうな名前ですね。

【クモヒトデ綱】
クモヒトデ科、リュウコツクモヒトデ科、テヅルモヅル科

棘皮動物門、ヒトデに近縁で蛇尾類（じゃびるい）に分類されるのがクモヒトデ綱の仲間です。

オキノテヅルモヅル
Gorgonocephalus eucnemis
盤径 *12*cm

カワクモヒトデ目テヅルモヅル科。沖手蔓蔓と書き、編んだカゴに見えることから英名は Basket star、属名 Gorgonocephalus はギリシャ神話に登場する美しい三姉妹ゴーゴンからです。テヅルモヅルの四方八方に伸びる腕をこの三姉妹の末っ子であるメデューサの蛇の髪の毛になぞらえました。この腕を流れに伸ばし海中の懸濁物をキャッチしています。基本は 5 分岐。テヅルモヅルの名は中央の盤から 10 回くらい分かれて「ツル縺（もつ）れる」が転じたといわれています。北方の 1,000 m くらいまでの深さに棲息しています。

1000 2000 3000 4000 5000 6000 7000 8000 9000 10000

ダイオウゴカクヒトデ

Mariaster giganteus

輻長 *40*㎝

相模湾から初記載された日本最大級のヒトデで、巻貝のウラシマカタベ（*Thyca (Kiramodulus) lactea*）をしばしば外部寄生させています。ちなみに内部寄生の例もあり、ゴカクヒトデの仲間の体内から寄生性の甲殻類であるシダムシ類が見つかることもあります。

ナンキョクキバヒトデ

Odontaster validus

輻長 *7*㎝

冷たい南極の海底に棲息しています。あまり大きくなる種類ではありません。成長が遅く輻長5㎝になるまで9年を要します。寿命は100年以上ともいわれています。とにかく何でも好き嫌いなく食べる雑食性です。少しでも獲物のにおいを嗅ぎつけるとどこからともなく集まって、たちまち団子状の群れになりむさぼり食いを始めるのです。深海のハイエナさながらです。

生息水域
（メートル）

1000

2000

3000

4000

5000

6000

7000

8000

9000

10000

【アカヒトデ目】
ゴカクヒトデ科、オドンタステリ科、コブヒトデ科

ここに紹介した2種類のゴカクヒトデ科は1,000mを超える深さに棲息する深海ヒトデの仲間です。ダイオウゴカクヒトデは大型になる種類で輻長（ふくちょう）は40㎝に達する大きさになります。輻長というのはヒトデの大きさを表す尺度で中心から腕の先端までの距離、円でいえば半径に相当する長さをいいます。

ゴカクヒトデ

Ceramaster japonicus
輻長 *10*㎝

水を吸い込んで体を膨らませる習性があります。これは外敵からの捕食を回避していると考えられます。

リュウグウサクラヒトデ

Astrosarkus idipi
輻長 *15*㎝

非常に珍しい種類で新種報告が2003年、日本近海では2008年に久米島沖200mの深さから初記録されました。骨格がほとんど退化、消失しています。和名は竜宮と琉球の音を掛けた命名で英名は Deep sea cherry blossom starfish、コブヒトデ科に属します。

【シャリンヒトデ目】
Xyloplacidae 科

1986年にニュージーランド沖とタスマン海の海底1,057～1,208mに転がる沈木の上から見つかった棘皮動物の1種です。棘皮動物（Echinodermata）の語源は棘（echinos=spiny）＋肌（derma=skin）で現在、5つの綱（ウニ綱、ヒトデ綱、クモヒトデ綱、ウミユリ綱、ナマコ綱）に分けられていますが、このお皿をひっくり返したような形をした生き物はどこに含めたらいいか所属が定まっていませんでした。

管足があって骨格も明らかに棘皮動物で間違いないのですが、その管足の並びが放射状でなく円形に配置されているという特徴があるため、長い間ヒトデ綱に含めるかシャリンヒトデ綱という新たなグループを新設するか議論が続いてきました。その後DNA解析も進められていて今のところヒトデ綱シャリンヒトデ目という位置に落ち着いているようです。いずれにしても特殊な構造を持った生き物です。扁平な円盤状の姿をしていて外周には縁棘（えんきょく）というフリンジのようなひらひらが付いています。雌雄異体で木材を腐敗させるバクテリアなどのデトリタスや有孔虫を食べています。キク科の花デージーに似ているので英名はSea daisy、和名もそのまま訳してウミヒナギクと付けられました。

同属ではこの種以外にバハマ沖、深さ2,066mの沈木からX.turnerae が、北東太平洋の2,675mの沈木からX.janetae が知られています。大きさや形は隣に描いたコンタクトレンズとほぼ同じです。余談ですが使い捨てのコンタクトレンズが世界中で広まっています。それをトイレに流してしまう行為が横行していて社会問題になっています。

ウミヒナギク
Xyloplax medusiformis
1cm

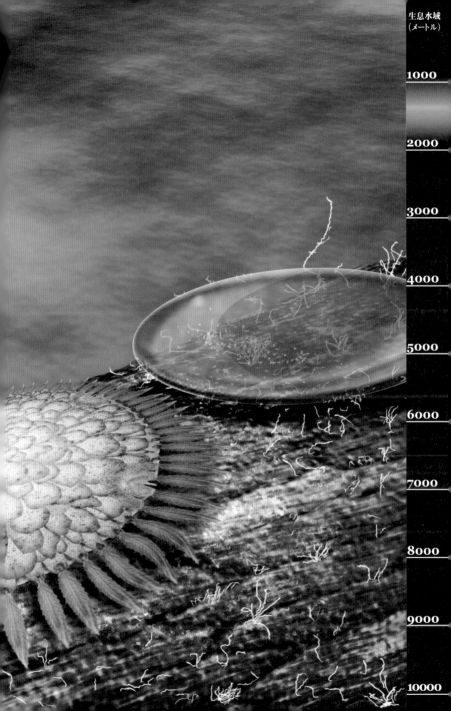

生息水域
（メートル）

1000

2000

3000

4000

5000

6000

7000

8000

9000

10000

ウカレウシナマコ

Peniagone dubia

*10*cm

前の方に長い１対の疣足（いぼあし）
がありその後ろには３対のヒゲ状疣足
が付いています。疣足は管足が変形し
たものです。1,500 ～ 3,000m の深さ
に棲息しています。ナマコ綱板足目ク
マナマコ科に属します。

クマナマコ科、カンテンナマコ科

ほとんど動きらしい動きを見せるわけでなく、触っても特に反応を示さず、ナマコ（海鼠）には寡黙な印象があります。

712年、太安万侶（おおのやすまろ）が編纂した日本最古の歴史書、古事記には早くもナマコが登場するので日本人にとっては古くから馴染みのある生き物であることは確かです。アマテラスオオミカミの孫ニニギノミコトが天孫降臨した際、お供したアメノウズメが魚たちを集め「天つ神の御子に仕えるか」と尋ねたところすべての魚たちは仕えたいと答えましたがナマコだけ答えませんでした。そのため「この口は返事をしない口だ」といって小刀でナマコの口を裂いてしまったということです。

しかし深海底に棲むナマコは色や形が豊かであるだけでなくかなり活発に動きます。海底から浮遊して遊泳する深海性のナマコとしてはユメナマコ（*Enypniastes eximia*・P310）やオケサナマコ（*Peniagone leander*・P313）が知られています。

このウカレウシナマコも普段は12対の管足（かんそく）で海底に踏ん張り、堆積物をちまちまとついばんでいます。が、ひとたび危険を察するとウリャとばかりに跳躍します。

ご多分にもれずナマコも変態を繰り返して成長します。重要な日本の水産資源であるアカナマコ (*Apostichopus japonicus*) を例にとると孵化後、ガストルラに始まり、植物プランクトンを食すオーリクラリア幼生からドリオラリア幼生、着底後はペンタクチュラ幼生となってデトリタス食を経て稚ナマコへと成長します。

ハゲナマコ

Pannychia moseleyi

30cm

海底で群れているところが観察されています。頭を持ち上げているのは配偶子（卵、精子）を放出するため。海底から少しでも離れた方が拡散しやすいためと考えられています。板足目カンテンナマコ科に属し、深いところでは2,600mの海底から知られていますが、多くは700〜1,200m付近で見られます。

1000

2000

3000

4000

5000

6000

7000

8000

9000

10000

ユメナマコ

Enypniastes eximia
30㎝

ちょっとでも硬いものが触れると簡単に傷ついてしまうことが水槽で観察した様子から知られています。生涯を通して"物体"に触れる機会がないのでこれでも十分生きていけるんですね。属名 Enypniastes は「夢みるもの」、種小名 eximia は「すばらしい」の意味を持ちます。板足目クラゲナマコ科に属します。

ユメナマコの卵は直径 3.5㎜と非常に大きく、数は 10 数個しか生みません。一方、浅い海に棲息するマナマコ（*Apostichopus armata*）は 0.2㎜の楕円形をした小さな卵を 20 万個近く生みます。この違いは棲息する環境に大きく左右されていると考えられます。超深海のように比較的環境が安定していれば生存競争は主に生物間の競争になります。したがって少数であってもできるだけ成熟した個体を確実に育てることが重要になります。これを「K 戦略」といいます。ちなみにマナマコの小卵多産タイプは「r 戦略」といいます。

マイクツガタナマコ

Paelopatides confundens
20㎝

楯手目（じゅんしゅもく）ミツマタナマコ科に属します。

【板足目・楯手目】
クラゲナマコ科、
ミツマタナマコ科、
エボシナマコ科

これらのナマコはいずれも 6,000m を超える深さに棲息しています。ナマコは海底の泥をちまちまと地味に食べるだけかと思いきや、突然体をのけぞらせて海底から浮遊させることがあります。ユメナマコは実に器用に屈伸運動を繰り返して上昇、海流に任せて離れた場所に着地します。これはもちろん敵が襲ってきた場合の逃避行動でもありますが、流れを利用してエサ場を移動していると考えられます。同じような前後の屈伸運動による遊泳行動はマイクツガタナマコでも見られます。

エボシナマコ

Psychropotes varipes

20cm

板足目エボシナマコ科のエボシナマコは烏帽子のような突起を持っています。この突起は体の後ろ側に付いているのですが役割はよく分かっていません。

トキンナマコ

Psychropotes verrucosa

20cm

板足目エボシナマコ科。トキンナマコのトキンは兜巾または頭巾と書くようで、山伏がかぶる布製のずきんのことと思われます。

1000
2000
3000
4000
5000
6000
7000
8000
9000
10000

センジュナマコ

Scotoplanes globosa

10cm

センジュナマコは「千手」で背中に
生えた突起からの命名ですね。ゴム
手袋を膨らませたような姿は何とも
愛らしいです。英語では Sea pig。
そのまま「海豚」と和訳してしまう
とこれはイルカと読むので注意が必
要です。管足（かんそく）は6〜8
対、触手は10本あります。センジ
ュナマコ属に属します。

クマナマコ

Elpidia glacialis

5㎝

クマナマコは 6,500m を
境にセンジュナマコより
さらに深い日本海溝や千
島海溝に棲み分けていま
す。名前の由来はテディ
ベアに似ていることから、
といわれますがどうでし
ょう、似てますか？

キャラウシナマコ

Peniagone azorica

10㎝

ウシナマコ属。2本の角が牛を
連想することからの命名です。

312-313

オケサナマコ

Peniagone leander

*10*cm

ウシナマコ属。体をくねらせて泳ぎます。
和名は言わずもがな、踊りの佐渡おけさか
らで、種小名 leander はギリシャ神話に登場
するレアンドロスからきています。対岸に
住む女神官ヘーローに恋した青年レアンド
ロスは毎晩彼女に会うため海峡を泳いで渡
っていました。ある冬の嵐の夜、彼は波に
さらわれ溺死してしまいます。ヘーローは
嘆き悲しみ、後を追って塔から身を投げた
という悲恋の物語です。それを知って改め
てオケサナマコの一生懸命な遊泳を見てみ
ると感慨深いものがあります。

1000

2000

3000

4000

5000

6000

【板足目】
クマナマコ科

7000

6,000m を超える超深海はナマコの安住の地です。この深さで目視でき
る生物の大半はナマコが優占しているといっても過言ではありません。
ここに登場するナマコは全てクマナマコ科の仲間です。

8000

ナマコ綱は下位に3つの亜綱、無足亜綱（むそくあこう）と楯手亜綱（じゅ
んしゅあこう）と樹手亜綱（じゅしゅあこう）に分類され、その中で楯手
亜綱はさらに楯手目と板足目（ばんそくもく）に分けられます。深海産の
ほとんどはこの中の板足目に属しています。ナマコの分類は見た目では
難しく、骨片（こっぺん）や触手の形状で区別されているようです。専門
家でないとなかなか立入れない領域ですね。

9000

10000

ヤマトカイロウドウケツ

Euplectella imperialis

40cm

六放海綿綱に属すカイロウドウケツ目カイメンです。漢字では偕
老同穴、元は中国の詩経が出典になっています。意味は「夫婦が
共に老い、同じ墓に葬られること」。胃腔（いこう）にドウケツ
エビの夫婦が住みついていることから縁起物とされています。
骨格となるガラス部分は光ファイバーよりも純度が高いといわ
れています。英語ではビーナスの花籠（Venus' flower basket）
と呼ばれます。この骨組を参考にして建設されたビルがロンド
ンにあります。スイス・リーという会社の本社で 30 St Mary
Axe あるいは The Gherkin（ガーキン）と呼ばれています。カ
イメンの中に張り巡らされた水路の効率化に学び、構造補強と
空調を両立させることで空調代が大幅にカットできているそう
です。生物模倣（バイオミメティクス）といいます。

ドウケツエビ

Spongicola venustus

頭胸甲長 0.9cm【左：オス／右：メス】

身を守らせてもらっているにもかかわらずカイロウドウケツに
は何の利益ももたらしていないとされる片利共生です。ちなみ
にギブアンドテイクなら相利共生。2匹は夫婦が多いですが、
たまに3匹棲んでいる場合があるそうで三角関係が気になりま
す。属名の -cola は「-の住人」の意。同穴海老（どうけつえ
び）は入れ替えて読むと海老同穴（かいろうどうけつ）。偶然の
言葉遊びですね。十脚目ドウケツエビ科に属します。

生息水域
（メートル）

1000

2000

3000

ホッスガイ

Hyalonema sieboldi

40cm

貝とついていますが海綿動物門六放海綿綱（ろっぽうかいめんこう）両盤目（りょうばんもく）に属するカイメンの仲間で、根っこの部分が繊維状で束になっていることから仏具の払子（ほっす）に例えられました。死ぬと骨格だけになるので貝と間違えられたようです。

中が４つの隔壁に分かれていて上に篩（ふるい）の蓋をかぶせた構造になっています。軸には棘皮動物のカイメンスナギンチャク（*Epizoanthus fatuus*）を共生させています。低温の海水からケイ酸を取り込んで珪糸把束（けいしはそく）というガラス繊維を自ら作り出しています。

4000

5000

6000

7000

【カイロウドウケツ目・十脚目・両盤目】
カイロウドウケツ科、ドウケツエビ科、ホッスガイ科

8000

9000

六放海綿とヤマトカイロウドウケツの中に住むドウケツエビです。

【多骨海綿目・両盤目】

エダネカイメン科、ホッスガイ科

深海に棲むカイメンの仲間は造形美の豊かな種類が多くいます。タテゴトカイメンとエルタニンアンテナはどちらも肉食系海綿で普通海綿綱角質海綿亜綱多骨海綿目エダネカイメン科に属します。

エルタニンアンテナ

Chondrocladia concrescens

60㎝

エルタニンアンテナの発見は1964年、アメリカの海洋調査船エルタニンが南アメリカ南端のホーン岬から南に1,600m離れた海底調査の際に3,904mの海底でアンテナのような "物体" を撮影しました。これが話題になり、ボートが落としたテレビアンテナの一部だとか、空想たくましく地球外生命体であるとか、はたまた海底の未知の文明だとか、よく言えば夢が語られていました。決着をみたのは1971年。2人の学者がこの調査船が撮影した写真に加え、1888年にアレキサンダー・アガシーが航海記 "Three Cruses of the Blake" に掲載したスケッチとともに肉食系海綿であると記載しました。スケッチでは軸から横に伸びるスポークが曲っていますが、撮影された生体では幹の部分が垂直にまっすぐ伸び、真横に広がるスポークは水平に90度、それぞれのスポークもお互い90度に均等配置されていたことから人工物と勘違いしたのも無理からぬことだったのかもしれません。

316-317

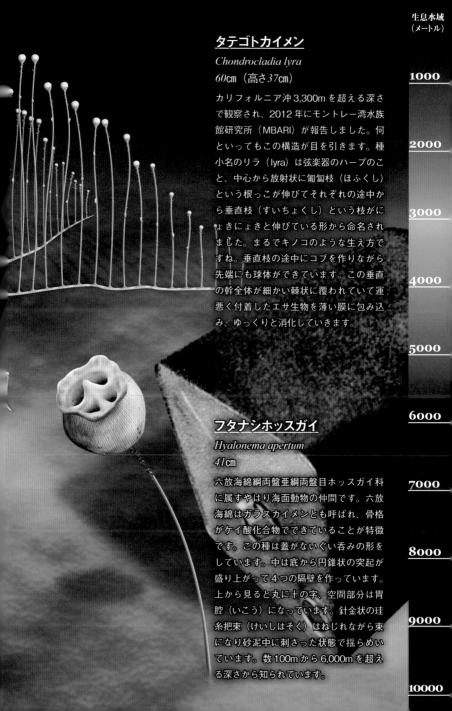

生息水域
（メートル）

タテゴトカイメン

Chondrocladia lyra
60cm（高さ37cm）

カリフォルニア沖3,300mを超える深さで観察され、2012年にモントレー湾水族館研究所（MBARI）が報告しました。何といってもこの構造が目を引きます。種小名のリラ（lyra）は弦楽器のハープのこと、中心から放射状に匍匐枝（ほふくし）という根っこが伸びてそれぞれの途中から垂直枝（すいちょくし）という枝がにょきにょきと伸びている形から命名されました。まるでキノコのような生え方ですね。垂直枝の途中にコブを作りながら先端にも球体ができています。この垂直の幹全体が細かい棘状に覆われていて運悪く付着したエサ生物を薄い膜に包み込み、ゆっくりと消化していきます。

フタナシホッスガイ

Hyalonema apertum
41cm

六放海綿綱両盤亜綱両盤目ホッスガイ科に属すやはり海面動物の仲間です。六放海綿はガラスカイメンとも呼ばれ、骨格がケイ酸化合物でできていることが特徴です。この種は蓋がないぐい呑みの形をしています。中は底から円錐状の突起が盛り上がって4つの隔壁を作っています。上から見ると丸に十の字、空間部分は胃腔（いこう）になっています。針金状の珪糸把束（けいしはそく）はねじれながら束になり砂泥中に刺さった状態で揺らめいています。数100mから6,000mを超える深さから知られています。

1000
2000
3000
4000
5000
6000
7000
8000
9000
10000

ラマルクゾウクラゲ

Carinaria lamarcki

6cm

ゾウクラゲと付いていますがクラゲではなく外洋性巻貝の仲間です。軟体動物門腹足綱の異足（いそく）類という分類になります。一部の種類を除き薄く透明な殻を背負い、軟体部が象の鼻のように目立っています。ウチワのようなヒレを上に、殻は下にして泳ぎます。世界中の暖海で終生を浮遊して過ごします。軟体部は20％だけが殻の中に収まっています。普通は全長数cmくらいですが地中海産からは22cmの個体が報告されています。彼らはサルパや甲殻類、稚魚などの動物プランクトンを食べています。

タルガタハダカカメガイ

Cliopsis krohni

2.5cm

温帯に分布し翼足は小さめ、尻部が樽型で六角形、淡い紫色をしています。危険を感じると頭部と翼足を退縮させボール状になります。クリオプシス科はバッカルコーンを持たず、体長ほどに伸びる吻で獲物を捕まえます。

【異足類・裸殻翼足目】

ゾウクラゲ科、クリオプシス科、ハダカカメガイ科

ハダカカメガイ科には「流氷の天使」として有名なクリオネが属します。あまり聞きなれない異足類はこのゾウクラゲ科のほか、クチキレウキガイ科とハダカゾウクラゲ科の３科に分けられています。

生息水域
(メートル)

1000

2000

3000

4000

5000

6000

7000

8000

9000

10000

ハダカカメガイ

Clione elegantissima
3㎝

通称クリオネ。オホーツク海から北太平洋にかけての冷たい海を好みます。従来の *C.limacina* は近年、大西洋の種と判明しました。腹足綱の裸殻翼足（らかくよくそく）目に属します。属名 Clione はギリシャ神話に登場する文芸の女神クレイオー（Kleio）に由来します。成長にともない貝殻を消失、1 対の翼足を羽ばたかせて泳ぎます。遊泳力はさほど強くはありません。バッカルコーン（buccal cone= 口円錐　こうえんすい）と呼ばれる 3 対 6 本の触手を伸ばして腹足綱の有殻翼足（ゆうかくよくそく）目のミジンウキマイマイ（*Limacina helicina*）に食らいつきます。その後、抱え込むようにして養分をゆっくり吸収します（左）。流氷の天使とか氷の妖精、Sea angel と優雅に呼ばれていますが見た目と違って肉食獰猛な生き物です。

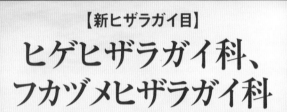

【新ヒザラガイ目】
ヒゲヒザラガイ科、
フカヅメヒザラガイ科

ヒザラガイというのは軟体動物の多板綱に分類される生き物で一般的には、扁平で背中に8枚の殻（殻板＝かくばん）を持ち岩など固いところに固着しています。足は腹足類の巻貝のそれに似ていてゆっくりと岩の上を這うことができます。が、巻貝の仲間とは似て非なるグループです。

眼や触覚はありません。ただトロコフォアという幼生期には頭部に一対の眼を持っていてその後消えます。殻の表面にある多数の穴が光を感じる感覚器として働いているようです。

夜行性で一部の種類は移動した後、元の場所に戻る帰巣性（きそうせい）があるとされています。剥がすとダンゴムシのように背中を丸めるのでジイガセ（爺が背）と呼ぶ地域もあります。またこの動作が膝を曲げるようにも見えることから膝皿（ひざさら）がヒザラの元になりました。

多板綱の歴史は古く4億5,000万年前のオルドビス紀には古ヒザラガイ目という絶滅種が存在していました。現生種は新ヒザラガイ目だけでそれでも1,000種以上が知られています。亜目は4つに分類されていて、それぞれサメハダヒザラガイ亜目、マボロシヒザラガイ亜目、ウスヒザラガイ亜目、ケハダヒザラガイ亜目にグルーピングされています。一応食べられます。

生息水域
（メートル）

1000

2000

3000

4000

5000

6000

7000

8000

9000

10000

コオリヒザラガイ

Nuttallochiton mirandus

12㎝

形が規格外ですね。オーストラリアのシドニーにある
オペラハウスのように殻の部分が突っ立っています。
分類の上ではウスヒザラガイ亜目ヒゲヒザラガイ科に
属します。模式標本（ホロタイプ）の大きさは長さ8
㎝、幅3.5㎝と多板綱の中では大型です。もっとも、最
大級にはオオバンヒザラガイ（*Cryptochiton stelleri*）
という種類が40㎝級で知られています。コオリヒザラ
ガイは南極大陸の大陸棚から640mにかけてが主な棲
息域で、深いところでは1,400mにまで分布していま
す。殻の部分はクリーム色がかった白から赤褐色、殻
の周囲にある軟らかい部分は肉帯（にくたい）といっ
て微小な細長い棘が生えています。コケムシや有孔虫
を食べていますが六放海綿類（ガラス海綿）と一緒に
見つかることが多いようです。

フカヅメヒザラガイ

Nierstraszella lineata

1.2㎝

サメハダヒザラガイ目フカヅメ
ヒザラガイ科に属します。特
徴は沈木上に棲息しているこ
と。木材食のヒザラガイは他に
も知られていて *Leptotochiton
boucheti* などがいますが、フカ
ヅメヒザラガイの方は沈んだ木
材に特化していて無酸素な状態
にも適応しているようです。こ
ちらは熱帯太平洋に広く分布し、
180～1,300m付近まで知られ
ています。

【オウムガイ目】
オウムガイ科

オウムガイはしばしばアンモナイトの生きた化石と誤解されがちですが、先祖はアンモナイトより古い4億〜5億年前のオルドビス紀からシルル紀にかけて繁栄したチョッカクガイにさかのぼります。チョッカクガイは殻がまっすぐで、最大級のカメロケラス（Cameroceras trentonense）は全長が10mもあり三葉虫などを捕食していたようです。チョッカクガイは三畳紀からジュラ紀ころに絶滅したので、現代のオウムガイは直接の子孫ではなく、派生した種類として生き残りました。殻は丸まり大きさも直径20cmほどに落ち着きました。

南太平洋の水深500m付近までに棲息していて約800mより深く潜行してしまうと殻がつぶれてしまいます。殻の中は複数の部屋（気房 きぼう）に分かれていて連室細管（れんしつさいかん）でつながっています。各部屋にはガスが充填されていてカメラル液という分泌液を軟体部から送ることで浮力を調節しています。軟体部が収まる出口の空間は住房（じゅうぼう）といいます。

約90本の触手に吸盤はなく、眼はピンホール状でレンズはありません。窩状眼（かじょうがん）といって明暗とかろうじてモノのシルエットを認識しているようです。スミも吐きません。漏斗は閉じた筒ではなくギョウザの皮を巻いたような形で角度をつけて水を噴射することで方向転換します。動きはのろくヒョコヒョコと漂っているのでよく太古の昔から生きながらえてきたなと感心します。

英名のノーチラス（Nautilus）はギリシャ語の「水夫」に由来します。和名のオウムは殻の形がオウムの嘴に見えることから。オオベソは殻の中心をヘソ（臍）に例えた命名です。軟体動物門頭足綱オウムガイ目オウムガイ科に属し近縁はイカやタコ、ですが寿命ははるかに長く10数年から20年生きるといわれています。

紹介した2種以外にパラオオウムガイ（N.belauensis）、ヒロベソオウムガイ（N.scrobiculatus）、コベソオウムガイ（N.stenomphalus）などが知られています。最新のDNA研究でこれらは遺伝的に遠かったり近かったりが分かってきたので種数は将来変更されるかもしれません。

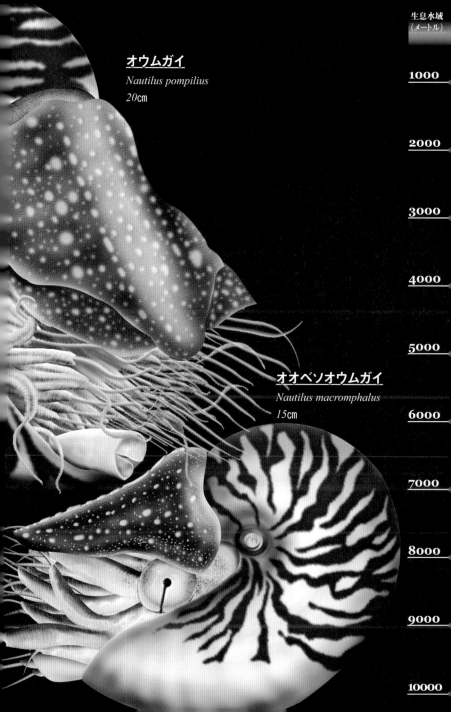

オウムガイ
Nautilus pompilius
20㎝

オオベソオウムガイ
Nautilus macromphalus
15㎝

生息水域
（メートル）

1000

2000

3000

4000

5000

6000

7000

8000

9000

10000

中層に漂うイカたちです。

ヒカリイカ

Selenoteuthis scintillans

外套長 4cm

触腕の付け根、中間、掌部の付け根にそれ
ぞれ 1 個ずつ合計 3 個の発光器があります。
眼の腹側の発光器は 5 個で中央の 1 個はサ
ファイアのような青緑色をしています。ま
たオスは第 2 腕、第 3 腕の先端に黒い膜で
覆われた小さな発光器 1 個を持っています。

ホタルイカ

Watasenia scintillans

外套長 7cm

種小名 scintillans は「閃光を発する」という意味があり
ます。普段は 500m 付近にいて、春先の産卵時期に浅場
まで上がってきます。ただこれは危険をともない、新月
の晴れた夜、月明かりの道しるべを見失って沖に戻れな
くなり海岸に打ち上げられてしまうことがあります。ホ
タルイカの身投げといいます。

発光器は 3 種類。皮膚発光器、眼の下に 5 つ並ぶ眼発光
器、第 4 腕の先端に 3 つずつの腕発光器（触腕ではあり
ません）です。皮膚発光器はカウンターイルミネーション
の役割で丸い断面の胴体に放射状ではなく真下向きに照ら
すことで死角をなくしています。眼発光器は透明にできな
い眼の影を隠すため、腕発光器は威嚇に使われます。

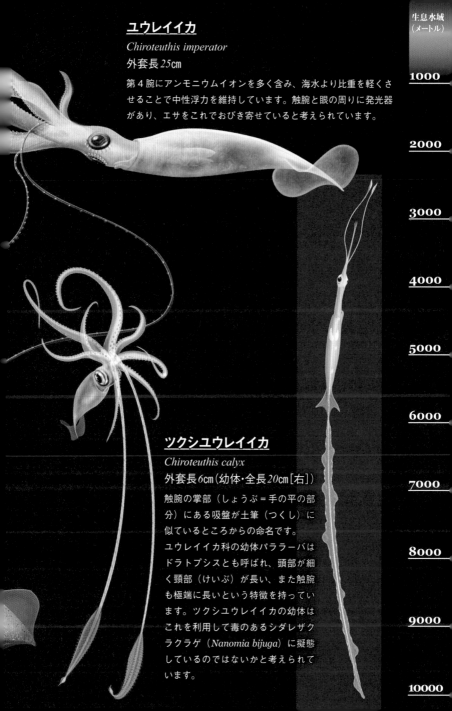

ユウレイイカ

Chiroteuthis imperator

外套長 *25*cm

第４腕にアンモニウムイオンを多く含み、海水より比重を軽くさせることで中性浮力を維持しています。触腕と眼の周りに発光器があり、エサをこれでおびき寄せていると考えられています。

ツクシユウレイイカ

Chiroteuthis calyx

外套長*6*cm（幼体・全長*20*cm［右］）

触腕の掌部（しょうぶ＝手の平の部分）にある吸盤が土筆（つくし）に似ているところからの命名です。

ユウレイイカ科の幼体パララーバはドラトプシスとも呼ばれ、頭部が細く頸部（けいぶ）が長い、また触腕も極端に長いという特徴を持っています。ツクシユウレイイカの幼体はこれを利用して毒のあるシダレザクラクラゲ（*Nanomia bijuga*）に擬態しているのではないかと考えられています。

生息水域（メートル）

1000
2000
3000
4000
5000
6000
7000
8000
9000
10000

ソデイカ

Thysanoteuthis rhombus

外套長 80cm

腕に保護膜というのがあって特に第3腕が極端に
広く、袖のように見えることからこの名が付いてい
ます。よく獲れる沖縄ではセーイカと呼ばれていま
す。全体のシルエットから英名は Diamond squid。
中空の巨大な卵塊はゼラチン質で長さ 1.5 ～ 2 mに
もおよび中層を漂っているところに遭遇すると何だ
これは？　となります。
幼体のパララーバ期は外套膜の後端が丸みを帯びて
いますが成長とともに尖ってきます。2匹で泳いで
いることが多く、釣り上げた時にもう1匹も上がっ
てくることから「心中イカ」とも呼ばれています。
ただ2匹はオスとメスであるとは限りません。ソデ
イカ科は1科1属1種です。

クラゲイカ

Stigmatoteuthis dofleini

外套長 20cm

世界中の温帯域に棲息し
ています。

カリフォルニアシラタマイカ

Histioteuthis heteropsis

外套長 13cm

東太平洋で知られています。英名
Strawberry Squid（イチゴイカ）と呼ばれ
るのはこのカリフォルニアシラタマイカで
す。確かに外套膜に散らばっている発光器
はイチゴそのものです。

生息水域
(メートル)

1000

2000

3000

4000

5000

6000

7000

8000

9000

10000

【開眼目】

ソデイカ科、 ゴマフイカ科

ツツイカ目は閉眼亜目（へいがんあもく）と
いって眼が透明な膜に覆われている種と、膜
がなく眼が直接海水に接している開眼亜目
（かいがんあもく）に分類されます。

閉眼亜目はヤリイカやアオリイカなどのヤリ
イカ科が代表種で沿岸回遊性の種類が多く、
またオスの方が大きくなる傾向があります。
開眼亜目は逆に沖合性でメスの方が大きいよ
うです。大部分のツツイカ類が開眼亜目にな
ります。

ソデイカはソデイカ科、クラゲイカ、ゴマフ
イカ、カリフォルニアシラタマイカはゴマフ
イカ科に属します。

ゴマフイカ科の３種は左の眼が異様に大きい
特徴を持っています。この左目は筒状になって
いて黄色い水晶体を持つことで周囲の青が暗
く、緑がかった獲物の発光がより際立って見え
る効果があります。発光器を持つ獲物の１枚
うわてをいっています。また黄色の水晶体はフィ
ルタの役目を果たし状況に応じて色を変えた
り透明にしたりすることでエサ生物をさらにサー
チしているとも考えられています。

一方の右目は深みを向いていてその周囲には
発光器を備え、カウンターイルミネーション
で眼の影を消す働きをします。ただ姿を消し
ても音波を照射されては丸見えなのでマッコ
ウクジラには大量に捕食されてしまいます。

ゴマフイカ

Histioteuthis corona inermis

外套長6㎝

日本の太平洋側に棲息しています。

ダイオウイカ

Architeuthis dux

外套長 200㎝

(メートル)
1000
2000
3000
4000
5000
6000
7000
8000
9000

【開眼目】
ダイオウイカ科

言わずと知れたイカの王です。体内に多くのアンモニウムイオンを含み海水との
バランスを取ってエネルギーの消耗を抑えています。ちなみにアンモニアのおか
げでわれわれ人間にとっては食べられたシロモノではありません。

巨大な眼は天敵のマッコウクジラ（*Physeter macrocephalus*）をいち早く見つ
けるのに役立っています。マッコウクジラが接近すると周囲の微小生物が刺激を
受けて発光するため、このわずかな光を捉え、先手を打って逃げることができま
す。しかしマッコウクジラのハンタースキルは優秀で、音波の反射を使って獲物
の位置と距離、大きさを暗闇の中で正確にサーチするため、イカの肉眼では限界
があります。マッコウクジラの体表にダイオウイカの吸盤痕がしばしば見られる
ので「格闘」といわれることがありますが、力の差は歴然としていて捕らわれる
か逃げおおせるか2つに1つです。

生態が謎に包まれているダイオウイカは以前から複数の種がいる可能性が指摘さ
れてきました。そして2013年3月、英国の学術専門誌「英国王立協会紀要」が
DNAを解析し従来の複数説は *A.dux* 1種の可能性が高いと発表しました。

太古にさかのぼれば白亜紀の海には全長12mに達するハボロダイオウイカ
（*Haboroteuthis poseidon*）が棲息していました。かつて海の底だった北海道羽幌
町の地層からカラストンビが見つかっています。

現生のダイオウイカの卵は直径5mm程度で孵化直後は他のイカ同様に小さいこと
が分かっています。成長の倍率が半端ないですね。

キタノスカシイカ

Galiteuthis phyllura

外套長36㎝〔幼体15㎝［上］〕

眼の腹面にある棒状と半月状の発光器に
よるカウンターイルミネーションで自ら
の存在（特に大きな眼）を目立たないよ
うにしています。

ヒレも大きく外套膜の半分近くを占めま
す。触腕の先端はカギ状の爪が２列に
並んでいます。日本の北部から北太平
洋、カリフォルニアにかけて棲息してい
ます。イラストの幼体は拝むように触腕
を合わせて上に持ち上げています。

ゴマフホウズキイカ

Helicocranchia pfefferi

外套長4㎝

外套膜が袋状になっていて色素胞がゴマを散
らしたように分布しています。ヒレは小さく
あまり遊泳力がありそうには見えません。触
腕は比較的太く４列の吸盤が並んでいます。
英語では Bandded piglet squid（子豚イカ）
と呼ばれています。全世界の温帯に棲息して
います。

生息水域
（メートル）

1000

2000

3000

4000

5000

6000

7000

8000

9000

10000

【開眼目】
サメハダホウズキイカ科

すべてサメハダホウズキイカ科のイカです。このグループは幼体時代は透明で大小色んな色をした水玉模様を持っています。また眼は眼柄（がんぺい）という長い棒の先に付いている特徴があります。あの超巨大なダイオウホウズキイカ（Mesonychoteuthis hamiltonia・P333）もこのグループに属します。

サメハダホウズキイカ
Cranchia scabra
外套長 13㎝

鮫肌のように外套膜の表面がざらざらしています。塩化アンモニウムの浮力で中層を遊泳していて外敵が近づくと海水を外套膜内に取り込んで丸く膨らみます。また頭部や腕全体を外套膜に収納してしまうことで気配をできるだけ消してしまいます。透明にできない大きな眼は腹面側にある発光器で眼球の影を消すという念の入れようです。

腕には2列の吸盤が並び、触腕の掌部（しょうぶ）には4列並びます。ときどきこの掌部の付け根、手首の部分を合わせるポーズをとることがあります。これはエサとなる甲殻類を獲る際に触腕の先端を広げてつまむ時の行動です。世界中の温熱帯に分布しています。

クジャクイカ
Taonius pavo
外套長 24㎝

眼が大きく、やや前に向いています。触腕は短めで腕より少し長い程度、ヒレは外套膜の半分くらいあります。吸盤の配置はサメハダホウズキイカ同様に腕部は2列あり掌部は4列あります。主に大西洋で知られ、西太平洋やインド洋でも報告されています。

【開眼目】
サメハダ
ホウズキイカ科

南極周辺に広がる南大洋の深海2,000mに潜んでいます。よくダイオウイカ（*Architeuthis dux*・P328）と比較対象にされますが、重さで比べるとダイオウホウズキイカの方が重量級です。外套長の2.5mは未成熟個体の計測値で、2007年に南極ロス海から釣り上げられた個体は触腕を除く体長が8m、体重495kg、目玉は直径27cmありました。ただ眼が大きいからといって視力がいい訳ではなく近くは見えにくく遠くがよく見える遠視だという研究報告があります。成熟個体は触腕を含めた全長が20mに達する可能性があるともいわれていますが、これは少々誇張されているかもしれません。

ヒレも大きくて外套長の半分くらいを占め、遊泳力の強さを想像させます。実際活発に泳ぐ魚類のライギョダマシ（*Dissostichus mawsoni*）を好んで捕食しています。

触腕の掌部（しょうぶ）は縁に小さな吸盤がありますが何と言っても目立つのは大きなカギ爪です。カギ爪は2列、20個前後が並んでいてプラスマイナス180度回転させることができます。これに捕まったらひとたまりもありませんね。マッコウクジラにとっても鞭のようにビタンと巻きつかれたら無傷ではいられません。ダイオウイカよりも手ごわい相手かもしれません。

英名はColossal（巨大な）squid。ダイオウイカはGiant（巨大な）squid。どちらがより大きい印象でしょうか。ダイオウホウズキイカはサメハダホウズキイカ科に属します。ちなみにダイオウイカはダイオウイカ科です。

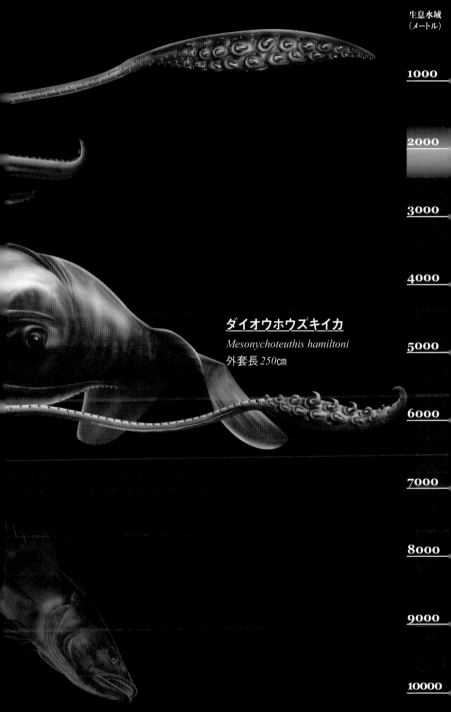

生息水域
（メートル）

1000

2000

3000

4000

ダイオウホウズキイカ
Mesonychoteuthis hamiltoni
外套長 250㎝

5000

6000

7000

8000

9000

10000

ミズヒキイカ

Magnapinna pacifica

全長700㎝（未成体[右下]外套長5㎝）

親と子で大きく姿が異なります。ミズヒキイカの成
体は外套長自体は60㎝くらいですが、何といっても
この腕の長さが半端ではありません。外套長の10
倍くらいあります。

中層を漂う時は10本の腕を放射状に広げ途中から垂
れ下げています。洗濯物を干すハンガーのようです。
丸いヒレは大きく遊泳力があり、泳ぐ時は腕を傘の
ように畳みます。詳しい生態は分かっていません。
その幼体時代もヒレは逆ハート型をしていて外套膜
の大部分を覆っています。この頃の腕はむしろ短い
くらいです。

属名Magnapinnaは「大きなヒレ」で英名はBig fin
squidあるいはLong arm squidとも呼ばれます。腕
と触腕の区別がつけづらいのも特徴です。ツツイカ
目ミズヒキイカ科に属します。

【開眼目】

ミズヒキイカ科、
ユウレイイカ科

奇妙なイカの仲間です。

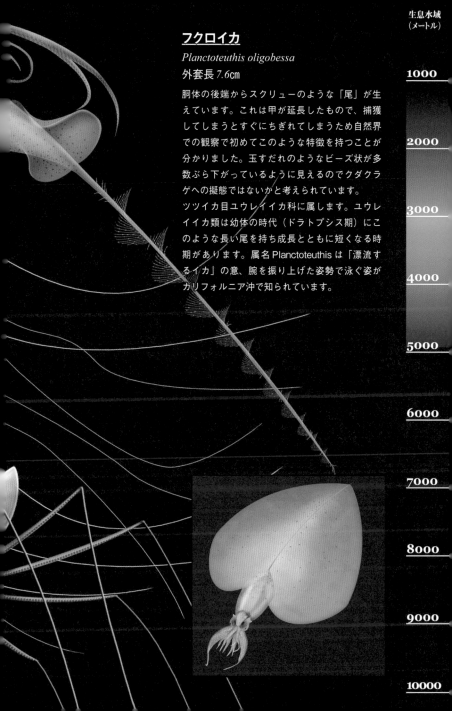

フクロイカ

Planctoteuthis oligobessa

外套長 7.6cm

胴体の後端からスクリューのような「尾」が生えています。これは甲が延長したもので、捕獲してしまうとすぐにちぎれてしまうため自然界での観察で初めてこのような特徴を持つことが分かりました。玉すだれのようなビーズ状が多数ぶら下がっているように見えるのでクダクラゲへの擬態ではないかと考えられています。

ツツイカ目ユウレイイカ科に属します。ユウレイイカ類は幼体の時代（ドラトプシス期）にこのような長い尾を持ち成長とともに短くなる時期があります。属名 Planctoteuthis は「漂流するイカ」の意、腕を振り上げた姿勢で泳ぐ姿がカリフォルニア沖で知られています。

生息水域
（メートル）

1000

2000

3000

4000

5000

6000

7000

8000

9000

10000

イイジマフクロダコ

Bolitaena pygmaea

全長 20cm

全世界の熱帯や亜熱帯、500～1,400m の深さに棲息していて幼体は 150～600m 付近から得られています。

楕円形の眼をしていて、成熟したメスは口（口球 こうきゅう）の周りにある黄緑色をしたリング状の発光器（Oral light organ）を光らせます（左上）。役割はエサ生物をおびき寄せるためとも考えられますが、だとするとメスだけにある理由が分かりません。おそらくこの強烈な光でオスを誘うと考えられています。

オスの交接腕は左の第 3 腕にあり、細長い舌状の突起を持っています。一方、右の第 3 腕には先端近くにツボ状の肥大した吸盤が数個備わっています。これは精子の入ったカプセルをメスに渡すために特化した腕です。オスはこれをメスに手渡すと役目を終えて穏やかに（？）死んでいきます。メスはもう一仕事あります。受精のあと傘膜（さんまく）に卵塊を抱えて保育し、浅いところまで上がっていきます。孵化するまでの数ヵ月間エサは取らず孵化を見届けた後にようやく天命をまっとうするのです。

Eledonella pygmaea はこの種のシノニム（同種異名）です。種小名 pygmaea は「小さい」を意味します。

【八腕形上目】
はちわんけいじょうもく

フクロダコ科

頭足綱八腕形目（はちわんけいもく）フクロダコ科に属します。
両者ともタコの世界では珍しく終生を通じて浮遊生活を送ります。

1000

2000

3000

4000

5000

6000

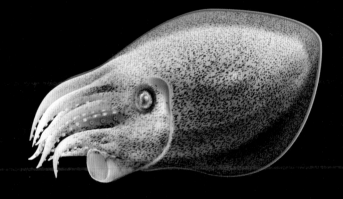

ナツメダコ

Japetella diaphana

全長 *10*cm

全世界の熱帯から亜寒帯にかけての外洋 800m 付近までに棲息していますが、マ
グロ類やミズウオ（*Alepisaurus ferox*・P119）の胃内容物から頻繁に見つかる
ことから、比較的浅い 100 ～ 400m に分布しているようです。

半透明のゼラチン状で腕が短いので、遠目に見てクラゲに間違えているのかもし
れません。腕の吸盤は 1 列、オスはイイジマフクロダコ同様に第 3 腕の先端が肥
大した吸盤を備えています。メスも卵を吸盤にくくりつけて腕の間に抱きかかえ
て保育します。メスの方が大きくなります。

口の周囲にリング状の発光器があるのでこの器官はフクロダコ科に見られる共通
の特徴と思われます。

クラゲダコ

Amphitretus pelagicus

全長 10cm

吸盤は1列、周りにヒゲを持たない無触毛類に分類されています。

クラゲダコはタコ類で唯一背方を向く管状眼を持っています。英名は Telescope Octopus。ただし体は透明でも管状の眼は赤い色がついています。原則モノを見るためには網膜に光情報を映像として結合させなければなりません。透過してしまっては意味がないわけです。つまり眼だけはどう頑張っても透明にすることはできません。ということは透明人間はあり得ないのです。いたらその人はモノが見えていません。

捕まえようとすると全身がオレンジ色に変わります。これは深海で視認しづらい色になることで身を守ったのではないかと考えられています。

500〜2,000mを浮遊し、普段はじっとしていますがときどきクラゲのように腕を開閉させながら泳ぎます。そのため腕の間には先端を除いて傘膜（さんまく）という膜が発達しています。頭足綱八腕形上目クラゲダコ科に属します。

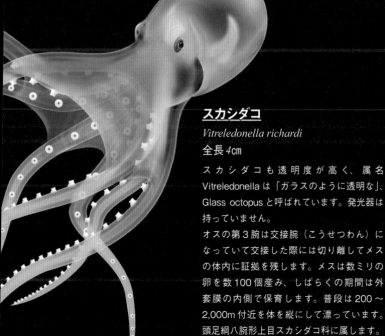

【八腕形上目】
クラゲダコ科、スカシダコ科

浮遊する透明タコ。深海で敵に見つからないために生物たちは様々な工夫をしてきました。トワイライトゾーンの深さではかすかに届く光を逆に利用してカウンターイルミネーションをおこなう種が、魚類だけでなく、軟体動物など垣根を越えた種族で見られます。また太陽の光のうち、赤い波長が海中では急激に減衰することから黒く見える赤色の体を持つ道を選んだ種も色々な生き物に見られます。

そして究極は透明になること。光を透過してしまうのですから見ようと思っても見ることができません。無敵の選択をした2種を紹介します。いずれも浮遊性のタコの仲間です。

スカシダコ

Vitreledonella richardi
全長 4cm

スカシダコも透明度が高く、属名 Vitreledonella は「ガラスのように透明な」、Glass octopus と呼ばれています。発光器は持っていません。

オスの第3腕は交接腕(こうせつわん)になっていて交接した際には切り離してメスの体内に証拠を残します。メスは数ミリの卵を数100個産み、しばらくの期間は外套膜の内側で保育します。普段は200～2,000m付近を体を縦にして漂っています。頭足綱八腕形上目スカシダコ科に属します。

ヒゲナガダコ科、
ジュウモンジダコ科

ヒゲダコ（有触毛）亜目といって1列に並んだ吸盤の外側に触毛を持つタコの仲間です。触毛を持つタコはすべて鰭（ひれ）も持っているので有鰭類（ゆうきるい）とも呼ばれます。紹介した2種はいずれも2,500mを超える下部漸深底帯から知られています。

キロサウマ　マグナ
Cirrothauma magna
全長 120cm

ヒゲナガダコ科に属し、属名の cirro は「触毛」を、magna は「大きい」を意味します。

体内に似たような殻を持つことで同じ Cirrothauma 属に属す近縁種にヒゲナガダコ（*C.murrayi*）という種類がいますが、こちらはレンズがなく眼が退化して埋もれています。網膜はありますが水晶体を失っているので明暗だけが分かるといった状況です。一方、ここに登場するキロサウマ　マグナの眼にはご覧の通りちゃんとしたレンズがあります。

海底直上をヒレを羽ばたかせながらゆったりと泳ぐ姿が観察されています。泳ぐ時は腕を揃え、エサを探す時は傘状（アンブレラ）に広げ、さらに防御の姿勢をとる時は風船状（バルーン）に膨らませたり、と表情は豊かです。腕の間の傘膜（さんまく）が先の方まで発達しているからできるワザです。

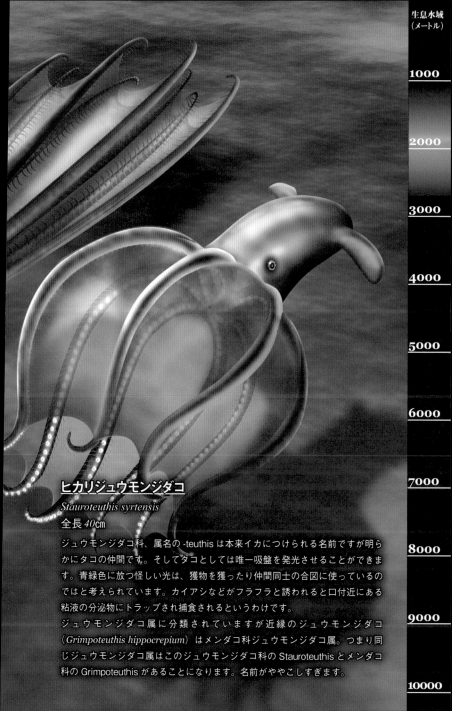

生息水域
（メートル）

1000

2000

3000

4000

5000

6000

7000

8000

9000

10000

ヒカリジュウモンジダコ
Stauroteuthis syrtensis
全長 *40*cm

ジュウモンジダコ科、属名の -teuthis は本来イカにつけられる名前ですが明らかにタコの仲間です。そしてタコとしては唯一吸盤を発光させることができます。青緑色に放つ怪しい光は、獲物を獲ったり仲間同士の合図に使っているのではと考えられています。カイアシなどがフラフラと誘われると口付近にある粘液の分泌物にトラップされ捕食されるというわけです。

ジュウモンジダコ属に分類されていますが近縁のジュウモンジダコ（*Grimpoteuthis hippocrepium*）はメンダコ科ジュウモンジダコ属。つまり同じジュウモンジダコ属はこのジュウモンジダコ科の Stauroteuthis とメンダコ科の Grimpoteuthis があることになります。名前がややこしすぎます。

コウモリダコ

Vampyroteuthis infernalis

全長30cm

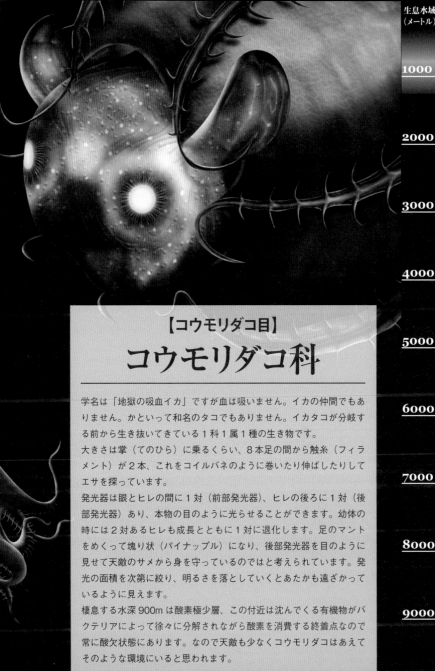

生息水域
(メートル)

1000

2000

3000

4000

5000

6000

7000

8000

9000

【コウモリダコ目】

コウモリダコ科

学名は「地獄の吸血イカ」ですが血は吸いません。イカの仲間でもありません。かといって和名のタコでもありません。イカタコが分岐する前から生き抜いてきている1科1属1種の生き物です。

大きさは掌（てのひら）に乗るくらい、8本足の間から触糸（フィラメント）が2本、これをコイルバネのように巻いたり伸ばしたりしてエサを探っています。

発光器は眼とヒレの間に1対（前部発光器）、ヒレの後ろに1対（後部発光器）あり、本物の目のように光らせることができます。幼体の時には2対あるヒレも成長とともに1対に退化します。足のマントをめくって塊り状（パイナップル）になり、後部発光器を目のように見せて天敵のサメから身を守っているのではと考えられています。発光の面積を次第に絞り、明るさを落としていくとあたかも遠ざかっているように見えます。

棲息する水深900mは酸素極少層、この付近は沈んでくる有機物がバクテリアによって徐々に分解されながら酸素を消費する終着点なので常に酸欠状態にあります。なので天敵も少なくコウモリダコはあえてそのような環境にいると思われます。

ゼノファイオフォア

超深海にひっそりと棲息する Xenophyophore（ゼノファイオフォア、またはク
セノフィオフォラ）という生物は、片手に余るこのサイズにして単細胞の有孔
虫なのです。分類上は核膜に包まれた1つ以上の核と1つの細胞膜で包まれた
細胞質を持つ真核単細胞生物（プロティスタ）というグループに属します。

Xenophyophore は、Xeno（外来の）、phy-o（物）、phora（着けている）が元
の単語で、表面から粘着物質を分泌して砂粒や有孔虫の殻などをくっつけてい
ます。自身では炭酸カルシウムの殻を作りません。さらにその粘液質でエサ粒
子を捕捉します。数ヵ月に1回、間欠的に体を大きくしているらしく成長速度
は極めてゆっくりです。

軟らかい殻を持つタイプの有孔虫は特に細胞質内にステルコマータ
（Stercomata）と呼ばれる堆積物と有機物でできた数ミクロンの丸い粒子を多
数含んでいます。貧栄養の深海でこの粒子に培養されているバクテリアの分解
機能で得られる有機物を摂取しているという説とただの老廃物という説があり
ます。

水深 4,000m くらいまでは石灰質や砂質、軟らかい有機質の殻を持つ有孔虫が
よく見られますがそれより深くなると水圧で炭酸カルシウムが溶けやすくなる
ため、石灰質や砂質は減少、有機質の有孔虫が増えてきます。形は実に様々で
海綿状やボール状、ウチワ状、と色々です。海底下数センチには埋在性の種類
（Occultammina profunda）も見つかっています。化石で産出されるハニカム
状の生痕化石 Paleodictyon がこの棲管（せいかん）ではないかと考えられてい
ます。この場合の生体の本体部はハニカムから一部を海底面上に出してデトリ
タスを摂食し排泄物は棲管の中に溜め込んでいると想像されています。

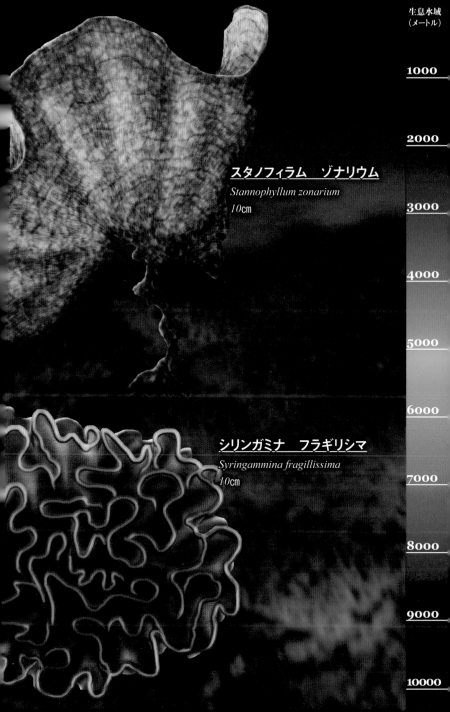

生息水域
（メートル）

1000

2000

スタノフィラム　ゾナリウム
Stannophyllum zonarium
*10*cm

3000

4000

5000

6000

シリンガミナ　フラギリシマ
Syringammina fragillissima
*10*cm

7000

8000

9000

10000

【コウラムシ目】
シワコウラムシ科

超深海は海底で終わりではありません。堆積物の下があります。水柱とは違った生命圏があるようなのですが、研究も緒についたばかりでほとんど何も分かっていません。

たとえばシンカイシワコウラムシ。今までのどの生物とも共通点が見いだせず1983年に胴甲動物門として新しい分類が新設されました。ツボ形の胴部にクチクラ（外皮）の板が数10枚並び、前半は200本以上の棘がサボテンのように生えています。先端には出し入れできる尖った口があります。小笠原海溝8,000mの海底から報告されました。砂粒の間に棲息するメイオベントス（微小底生生物）として何種類かの仲間が知られています。

幼体（ヒギンズ幼生）には1対の蹄（ひづめ）があって、どうやら遊泳していると考えられています。生きた状態を研究するのが極めて困難なため生活史はほとんど分かっていません。なぜなら、成体は体の後端にある粘液腺で堆積物の粒子にしっかり接着しているため、生きたまま分離させるのが難しいのです。

生息水域
(メートル)

1000

2000

3000

4000

5000

6000

7000

シンカイシワコウラムシ

Pliciloricus hadalis
0.3㎜

8000

9000

10000

【和名索引】

349

【学名索引】

C

D

【著者略歴】

石井　英雄（いしい・ひでお）

1958年大阪生まれ。会社勤めのかたわら、水棲生物を中心にイラストを描いている。週末は国立国会図書館でひたすら模写と情報収集。とくに深海生物についてはウェブ公開し、TV/出版物などのメディアや博物館、学校といった公的機関に画像を提供している。またアフリカの、とある国の切手デザインにも使用された。

深海の生き物　超大全

2022年7月22日第一刷

著者　　石井英雄

発行人　山田有司

発行所　〒170-0005
　　　　株式会社彩図社
　　　　東京都豊島区南大塚3-24-4MTビル
　　　　TEL：03-5985-8213　FAX：03-5985-8224

印刷所　シナノ印刷株式会社

URL https://www.saiz.co.jp　https://twitter.com/saiz_sha